Sobre hombros *de* GIGANTES

33 caminos que conducen a la grandeza

Rhondalynn Korolak

TALLER DEL ÉXITO

Sobre hombros de gigantes

Título en inglés: *On the Shoulders of Giants*
Traducción: © 2011 Taller del Éxito Inc.

Publicado por:

Taller del Éxito, Inc.
1669 N.W. 144 Terrace, Suite 210
Sunrise, Florida 33323
Estados Unidos

Editorial dedicada a la difusión de libros y audiolibros de desarrollo personal, crecimiento personal, liderazgo y motivación.
Diseño de carátula y diagramación: Diego Cruz

ISBN 10: 1-607380-49-8
ISBN 13: 978-1-60738-049-8

Printed in the United States of America
Impreso en Estados Unidos

14 15 16 17 18 R|UH 08 07 06 05 04

"Este libro muestra mediante la experiencia real y la ciencia de la mente, cómo la actitud y el significado que atribuimos a los eventos puede conquistar las dificultades, inspirar grandeza y transformar vidas. Aprenda a sacar partido del increíble poder y potencial que existe dentro de todos nosotros".

—Allan y Barbara Pease, autores del bestseller
The Definitive Book of Body Language

"Rhondalynn ha aprendido de los grandes y luego ha ido más allá para adquirir una mentalidad más profunda y novedosa –sus experiencias y aprendizajes le inspirarán".

—Peter Spann, Presidente
The Freeman Fox Group of Companies

"Esta es una consideración acertada sobre lo que funciona para conseguir lo que uno desea en la vida, contada por alguien que descubrió y utilizó cada paso para superar una tragedia monumental".

—Grant Thomas, Presidente de Clear Holdings
(anterior director y entrenador principal
del equipo St. Kilda Saints AFL)

"El viaje excepcional y las experiencias de Rhondalynn de seguro aportarán a sus lectores ideas muy valiosas para su propio beneficio".

—Michael Reed
Presidente de Jetset Travelworld Limited

"Rhondalynn ha sido la autora de un viaje de enorme descubrimiento y lo ha hecho con gran valor, generosidad, y de forma abierta y sincera. Usted no puede darse el lujo de perderse de toda esta valiosa información. Considero que se debería pedir que este libro se leyera en toda institución educativa de este país –los temas tratados suministran una serie de habilidades que garantizan éxito y grandeza".

—Joane Goulding, LMASCH., LMCCH.
Hipnoterapeuta – Entrenadora y Educadora
Directora de The Goulding Institute

"Rhondalynn tiene una perspectiva impresionante de la vida. Su visión equilibrada de la naturaleza humana y de sus motivaciones internas, combinadas con un gran sentido del humor, han hecho de Rhondalynn una persona a la cual estoy inmensamente orgulloso de conocer. Su determinación y pasión son dos grandes elementos que la han hecho una gran autora, oradora y motivadora. Adquiera este libro –¡Su viaje le inspirará!".

—Kevin Maddox, ActionCOACH

"Rhondalynn es una conferencista muy eficaz, así como una gran autora y motivadora con una sorprendente habilidad para conectarse con la gente. Su filosofía consiste en asignarle un valor adicional a cada persona, trátese de colegas o clientes. En todo momento ella da de sí misma a otros. Su conocimiento y experiencia en los negocios, en las comunicaciones y en la ciencia de la mente, hacen de Rhondalynn la persona a la cual consultar si se quiere lograr una verdadera transformación en los negocios o en la vida personal. El material de este libro es toda una verdadera mina de oro proverbial".

—Dr. Martin Preston
ActionCOACH y consultor en Psiquiatría

"Conozco a Rhondalynn desde hace mucho y con el tiempo he llegado a entender la diversidad, profundidad y altura de sus habilidades. Ella verdaderamente es una mujer de negocios sobresaliente y alguien que sabe cómo resolver los problemas. Gracias a mis tratos con ella soy una mejor persona y un mejor hombre de negocios, y recomiendo este libro a cualquiera que esté intentando llevar su vida y logros al siguiente nivel".

—Craig Missell, Propietario de, Match2 Personnel

"Nunca he conocido a nadie tan apasionado, comprometido y auténtico como a Rhondalynn. ¡Ella es una de las mejores en hacer lo necesario para lograr de nuestro mundo y neustras comunidades empresariales, lugares más exitosos, poderosos y auténticos".

—Christopher Steely
Director de Apoyo de ActionCOACH

Reconocimientos

Buscando el jardín de mi madre, encontré mi propio jardín. **—Alice Walker**

Empecé este viaje épico de autodescubrimiento hace unos dieciséis años, luego de que mi madre fuera brutalmente asesinada. Estaba desesperada por encontrar respuestas. Dediqué varios años a buscar el jardín de mi madre —intentaba mantener viva su memoria, hacía lo que pensaba que ella quería que hiciera, y luchaba por hacer valer mis derechos como víctima.

Sorprendentemente en algún lugar del camino, me tropecé con mi propio jardín. Las respuestas que estaba tan desesperada por encontrar me encontraron. Y lo sorprendente no fue tanto lo que encontré sino dónde lo encontré. Descubrí mis propias verdades, mis respuestas, mi fortaleza, mi propósito… y al hacerlo, me liberé y empecé a vivir de nuevo.

Este libro representa una evidencia breve de las experiencias y claves que me han moldeado hasta ser como soy en la actualidad. Estas son historias reales —personas existentes haciendo su mejor esfuerzo en medio de circunstancias usualmente imposibles con los recursos que tenían disponibles en su momento. En mi mente no hay villanos y no hay juicio. Estoy sinceramente agradecida por las lecciones con las que he sido encomendada y por los muchos sabios maestros y gigantes que han enriquecido mi vida.

Escribir este libro fue una tarea sobrecogedora e intimidante. Descubrí que escribir las palabras sobre las páginas es algo relativamente fácil, no obstante, al hacerlo, vinieron a mí emociones y recuerdos que pensé que ya había dejado atrás airosamente. De no haber sido por el apoyo, el ánimo, la comprensión y la pericia de Karen McCreadie, simplemente este libro no se hubiera escrito. Considero un verdadero milagro que nos hubiéramos conectado a través de internet y que ella hubiera estado de acuerdo en apoyarme en este proyecto. A Karen la respeto, la admiro y confío en ella inmensamente. Ella me ayudó a escribir aquellos pensamientos que no podía expresar con facilidad, pero que necesitaba desesperadamente comunicar; ella con frecuencia leía mi mente y mi corazón —lo cual no es tarea fácil. De igual modo, deseo mencionar a Clare Hallifax por su duro trabajo, dedicación y contribución a la edición profesional de este libro.

Sin embargo, la mayor parte del "oro" de este libro, no proviene de mí —he tenido la inmensa fortuna de conocer a lo largo del camino a algunos mentores y profesores maravillosos que han podido mostrarme el camino cuando yo misma había perdido mi ruta. Todos y cada uno de ellos son personas extraordinarias a quienes les debo mucho más de lo que las palabras pueden expresar —Nicholas y Alvina Kutinsky, Gary Kovacs, Sondra Goplen, Sonya Savage, Rhoda Dobler, Dianna Lynn, Debra Tate, Rachel Wilson, Harwant Riehl, Angela Gawne, Debbie Hardwick, Jackie Keeble, Jeff Poule, Grant Thomas, Josephine Brown, Kieran Perkins, Anthony Robbins, Justice John Rooke, Darwin Greaves, Rev. Sigmund Schuster, Roger Sept, Gary Anderson, la señora Styles, el doctor Dave McMullen y Rod Turnbull.

Mis agradecimientos especiales para mi mejor amiga Tabatha Neigum, quien siempre ha creído en mí e invariablemente me ha apoyado. Durante los años hemos pasado muchas cosas juntas y simplemente no me imagino cómo hubiera sido mi vida sin su presencia. Ella es la persona más genuina, amorosa y hermosa. Ha sido una verdadera bendición conocerla y realmente respeto su valor y fortaleza.

Y principalmente este libro es un tributo a la memoria de mi madre, Darlene Korolak. No hay un solo día que no la extrañe, ella fue una mujer verdaderamente amable y compasiva. Sólo tenía cuarenta y tres años cuando murió —demasiado pronto para alguien tan vibrante y llena de vida. Me consuela el hecho de saber que ella está siempre conmigo, guiándome y animándome a luchar por mis sueños y para ponerse a favor de lo que creo. Este libro da cuenta de sus logros así como de los míos.

Contenido

Introducción

En el año 1159, el autor y teólogo Juan de Salisbury escribió un tratado sobre la lógica llamado *Metalogicon*. Aunque fue escrito en latín la esencia de lo que Salisbury dijo fue: "Somos como enanos que andan sobre hombros de gigantes. Vemos mejor las cosas que están a la distancia no porque nuestra vista sea superior o porque seamos más altos que ellos, sino porque ellos nos levantan y su gran estatura se añade a la nuestra".

Siglos después, en 1676, Isaac Newton envió una carta a su rival Robert Hooke. Escribió: "Lo que Descartes hizo fue dar un gran paso. Tú has agregado más de muchas maneras... Si yo he logrado ver un poco más lejos es porque me he parado sobre los hombros de gigantes".

Este libro trata sobre los gigantes de la vida; científicos, eruditos, escritores y filósofos que han influenciado de forma positiva nuestro pensamiento sobre el mundo, dándonos perspectivas nuevas. Son los gigantes cuyas palabras se encuentran en libros de desarrollo personal, cuya sabiduría con frecuencia se transforma para crear homilías de autoayuda las cuales destacan la siempre importante actitud positiva.

Pero seamos claros: tener una actitud positiva es fácil cuando todas las cosas van bien. Es fácil tenerla cuando uno tiene pensamientos felices y se encuentra en espera de recibir lo mejor. Es fácil tenerla cuando uno tiene el apoyo de una relación amorosa, cuando cuenta con una profesión satisfaciente, o con excelentes amigos; todas estas cosas que lo hacen sentir a uno optimista. Es fácil cuando uno encuentra citas o fragmentos de sabiduría que aparecen en conjunción con nuestras experiencias y que nos ayudan a consolidar nuestra disposición positiva.

Pero, ¿qué sucede cuando las cosas son diferentes? ¿Qué sucede cuando todo lo que usted tiene le es arrebatado? ¿Qué sucede cuando el amor de su vida se va con su mejor amiga y le deja a usted sola con tres hijos? ¿Qué sucede cuando usted pierde su empleo y el hogar donde vive? ¿Qué sucede cuando su matrimonio se desmorona y su negocio se va a la quiebra? ¿Qué sucede si usted odia su vida y no ve ninguna manera de cambiarla? ¿Qué sucede si usted sufre de una enfermedad crónica o su hijo es diagnosticado con una enfermedad terminal? O ¿qué sucede si un ser querido es asesinado de forma absurda?

Bajo esas circunstancias ¿tiene algún peso la sabiduría de los filósofos o científicos? ¿Pueden ayudar las palabras de estos gigantes cuando nuestro mundo se ve envuelto en oscuridad?

Muchos de los conferencistas sobre motivación más populares nos harían creer que sí. Abra cualquier libro de autoayuda y encontrará que es bastante común que la fuerza motivadora detrás de la transformación personal de muchos oradores reconocidos tiene que ver con la estrechez financiera. Sin duda que vivir en las calles o comer cada tercer día o tener deudas por USD $70.000, pueden ser un catalizador enorme para el cambio. De forma similar, tener más de 100 libras de sobrepeso o sentirse frustrado al final de una carrera se puede convertir en un punto de viraje que le dé a un individuo la claridad mental que necesita para definir qué es lo que quiere en su vida.

No quiero demeritar a la industria del desarrollo personal ni tampoco deseo trivializar estos asuntos, con los cuales concuerdo que de forma individual o colectiva pueden ser una gran fuente de insatisfacción, dolor e infelicidad. Sin embargo, de lo que yo quiero hablar es sobre un nivel diferente de dolor, otra clase totalmente distinta de oscuridad. Estoy hablando de la oscuridad que lo apaga a uno completamente. Del vacío, del sin retorno, del nada será nunca igual, del frío, de los dolores que no parecen disiparse a pesar de los destellos de esperanza en el horizonte. Estoy hablando de aquel lugar de desesperanza completa y del sentido de tragedia; ¿es posible, en medio de estas circunstancias, apoyarse sobre los hombros de los gigantes y hallar esperanza y un propósito nuevo en la vida?

La respuesta es: "Sí".

A veces hay momentos que dividen en un instante el pasado y el futuro. Todo se parte irrevocablemente en el 'antes' y el 'después'. La vida como la conocemos se diluye y entonces, en el sacudón, aparece un mundo extraño, ajeno, e inhóspito.

Para mí ese momento ocurrió alrededor de las cuatro de la tarde del 14 de abril de 1992. Yo estaba estudiando para mis exámenes finales de mi carrera de Derecho. Hacía pocos instantes había regresado a casa de la Biblioteca de la Escuela de Leyes cuando el teléfono sonó. Era la decana de la facultad.

Me pidió que me sentara... mi madre había sido asesinada. La Policía Federal (RCMP) no logró encontrarme en el campus. Preocupada de que yo me enterara de la terrible noticia a través de las noticias locales, la decana se vio forzada a informarme telefónicamente. Poco después de la llamada vi la noticia a través de la televisión nacional. Encontraron su cuerpo en una cuneta; había sido estrangulada, golpeada y apuñalada en múltiples ocasiones.

Mi madre era la Jefe de Histología en el Hospital Municipal. En los 25 años que había trabajado para el hospital rara vez tuvo una ausencia por enfermedad o siquiera llegado tarde a su trabajo, de modo que cuando no se presentó en su trabajo, todas las alarmas se prendieron. Había sido asesinada dos días antes por tres jóvenes de 16 años de edad. Los muchachos recibieron la llave de nuestra casa de manos de mi hermano de 18 años. Con la promesa de recibir una recompensa, fueron a su casa en medio de la noche y la asesinaron brutalmente. Enrollaron su cuerpo ensangrentado en una alfombra, condujeron hasta las afueras del pueblo y la arrojaron en una cuneta. Al día siguiente, los muchachos y mi hermano limpiaron la casa y se fueron al comercio a escoger las cosas que comprarían cuando les llegara el dinero de la aseguradora.

Para el momento en que yo me enteré de la muerte de mi madre, mi hermano y los muchachos ya estaban en prisión. Yo tenía 24 años y había perdido a mi familia. Cuando vi su cuerpo, a pesar que sabía que era ella, todo lo que pude reconocer fue sus manos. Nunca podré explicar con palabras la magnitud de aquel suceso. Jamás sabré expresar el dolor abrazador, la conmoción, la incredulidad y el aturdimiento que eclipsó mi vida durante los años que siguieron a su muerte.

Haber perdido a una madre tan amorosa fue algo verdaderamente terrible, pero que ello haya sucedido a instigación de mi propio hermano es algo absolutamente inconcebible. La pérdida y la traición juntas eran algo superior a lo que yo podía soportar. Yo sabía que mi hermano la culpaba injustamente por la separación de ella con mi padre, y me preocupaba su hostilidad abierta contra ella, pero nunca me imaginé que fuera capaz de semejante atrocidad. No obstante, tan pronto como me enteré de lo ocurrido supe intuitivamente que él estaba implicado. El único error que mi madre cometió fue haberse casado con el hombre incorrecto, incapaz de controlar su alcoholismo y que se ocupó en abusar de mi hermano y de instigar odio en él.

Y estoy consciente de que no soy la única que ha experimentado un trauma tan extremo. Abra cualquier periódico desde Melbourne hasta Londres o desde Nueva York a Tokio y se enterará de cómo el desastre ha arruinado la vida de muchas personas. Y lo que sigue a eso es el desespero agonizante que agobia a quienes lo han sufrido.

La vida no siempre es un jardín de rosas. Es difícil, desconcertante e impredecible. Con frecuencia resulta más sorprendente que la ficción y trae desengaños. Pero como lo demuestra este libro, la vida que vale la pena también es maravillosa, hermosa e inspiradora. Todos estamos hechos de las experiencias y de los acondicionamientos con los que crecimos. A nuestro alrededor también encontramos bondad y amabilidad, y sobrevivimos o prosperamos porque podemos apoyarnos sobre los hombros de gigantes.

Los gigantes pueden tomar la forma de grandes filósofos o científicos, o de prestigiosos presentadores, poetas y escritores. Quizás, más importante aún, pueden tomar la forma de un buen amigo, de una persona de mayor edad con sabiduría, o de alguien desconocido que es bondadoso con nosotros o de un profesor que resulta ser un refugio —héroes de todos los días que nos transforman y cambian el curso de nuestra vida sin siquiera darse cuenta del don que han compartido.

Yo estoy eternamente agradecida con los gigantes que han hecho presencia en mi vida; mis abuelos, mis amigos, eruditos famosos y profesores que me han dado una perspectiva nueva y que han cambiado mi existencia. Lo que yo espero conseguir con este libro es abrir sus ojos a la profunda sabiduría de los gigantes que se encuentran en su propio mundo, la gente que va a estar ahí para ayudarle cuando usted no pueda dar un paso más por sí mismo, los que se interesan por su bienestar, aún cuando a veces algunos de ellos no lo puedan expresar mediante palabras. También deseo recordarle las ocasiones en las que usted se ha hecho un héroe o un gigante para con otros, algo que le puede animar e inspirar para continuar haciéndolo del mismo modo.

Espero que los conceptos e ideas tan frecuentemente pronunciadas por los gurús de la autoayuda cobren verdadero significado y que usted pueda experimentar su trascendencia en la vida. Algunas de estas perspectivas filosóficas nos han llegado a través de los milenios, han nacido de la ciencia, de la verdad y del misticismo, y tristemente muchas de estas han sido trivializadas en la Psicología. Yo espero que usted vea toda esta sabiduría con una mirada fresca y que aprenda a aplicar sus dones.

Pero sobre todo, mi deseo más sincero es que este libro le afirme que no es lo que nos sucede lo que importa, sino más bien lo que decidimos hacer al respecto. Tiene que ver mucho con lo que hagamos y la clase de persona en la que nos convirtamos a causa de lo que nos ocurra, no a pesar de ello.

Capítulo 1

"El mejor acero pasa a través del fuego más caliente".
—Richard Nixon

Richard Milhous Nixon fue el presidente número 37 de los Estados Unidos entre 1969 y 1974 y fue el único presidente que alguna vez ha renunciado a su cargo. Con frecuencia se le recuerda por haber estado involucrado con el escándalo conocido como el Watergate. No obstante, su administración no sólo tuvo que ver con ese suceso. Bajo su liderazgo, las relaciones entre los Estados Unidos y la Unión Soviética, así como con China, mejoraron sustancialmente.

Tal vez usted pueda considerar extraño que haya escogido como mi primer gigante a un presidente de los Estados Unidos que vivió la deshonra. Sin embargo, he hallado gran consuelo de su cita a través de los tiempos más dificultosos de mi vida. Sus palabras me ayudan a alcanzar mejor equilibrio cuando me siento vulnerable y triste, y cuando no estoy segura de poder continuar.

Recuerdo vívidamente cuando leí su cita por primera vez. Fue cerca de tres años después de la muerte de mi madre. Hasta ese momento me veía a mí misma como a un cristal roto. No podía asimilar lo sucedido y me sentí como si estuviera destrozada. Experimentaba un profundo sentimiento de soledad y pesar —sentía que había algo malo conmigo por provenir de una familia en la que había sucedido algo tan terrible. Experimentaba tanta lucha, como si todo desde ese punto en adelante fuera siempre a ser manchado y ensombrecido por ese pasado. Tendría que "sobrevivir" el resto de mi vida, y no "vivirla". Y en ese momento encontré esas pequeñas diez palabras...

El mejor acero pasa a través del fuego más caliente.

En un instante toda mi perspectiva cambió. ¿Qué hay si yo no fuera un cristal roto por lo que sucedió, sino que más bien estuviera en realidad siendo moldeada por esos sucesos y de todo ello emergiera algo más fuerte, significativo y positivo? Todos tenemos cicatrices. Algunas de estas se hacen evidentes ante los demás mediante enfermedades, accidentes o discapacidades, pero otras pueden ser cicatrices internas que nadie más percibe que están ahí. Ambos tipos de cicatrices llegan a ser debilitantes. Esta cita sencilla me permitió ver por primera vez que yo era quien era no a pesar de haber perdido a mi madre sino por causa de ello. No podía cambiar el pasado sin importar cuánto lo quisiera pero sí podía cambiar el "ahora" y al hacerlo, también podía cambiar mi futuro. En ese momento me di cuenta que tenía una ventaja particular sobre las demás personas —¡ya había experimentado lo peor que pudiera imaginar… y sobreviví! Me sentí segura de que podría soportar CUALQUIER COSA que la vida trajera, porque, de hecho, ya lo había hecho.

A la gente le preocupa todos los días saber qué se va a encontrar a la vuelta de la esquina. Es tan fácil mantenerse preocupado respecto a las dificultades financieras, las enfermedades, los eventos globales y aún respecto a la muerte, que con frecuencia olvidamos dedicar algo de nuestro tiempo y energías a vivir. Yo estoy agradecida por cada día que vivo. Estoy agradecida respecto a saber que no importa qué ponga la vida en mi camino —¡nunca me destrozará!

¿Sabía usted…?

Los psicólogos americanos y autores Richard Bandler y John Grinder son conocidos como los inventores de la Programación Neurolingüística (PNL) —un modelo de comunicación interpersonal basado en un estudio subjetivo del lenguaje, de la comunicación no verbal y del cambio personal. No fue sino hasta cuando descubrí la PNL que entendí lo que me sucedió en el momento que leí la cita de Nixon. Experimenté lo que se conoce como un replanteamiento.

Un replanteamiento es una herramienta lingüística que se utiliza para transformar la perspectiva de una creencia que tiene un número posible de interpretaciones o significados. Los seres humanos atribuimos significado a las cosas que experimentamos. Estos se almacenan en nuestra mente subconsciente y son recordados tiempo después (como creencias, memorias o decisiones), para apoyar o corroborar lo que creemos que es verdadero respecto a nosotros mismos o al mundo en el que vivimos. Un replanteamiento es una manera de interrumpir los patrones que hemos forjado mediante poner una idea, memoria, creencia o decisión en un nuevo contexto de empoderamiento. Al hacerlo, la idea, recuerdo, creencia o decisión, toman un significado completamente diferente y ello abre la puerta a todo un mundo de posibilidades.

Y tal como sucede con una pequeña barra de dinamita, un replanteamiento tiene el poder de sacudir una idea, recuerdo, creencia o decisión, hasta su propio fundamento. Los replanteamientos exitosos se gestionan mediante hacer preguntas o declaraciones precisas que le permiten al individuo redefinir una situación o recuerdo de modo que tenga un significado facultante para poder avanzar en la vida.

La contribución de Bandler y Grinder a la transformación personal fue monumental. Ellos desarrollaron la PNL inspirados en tres psicoterapeutas excepcionales: Virginia Satir, Fritz Perls y Milton Erickson. En la actualidad los patrones predominantes de la PNL y sus muchas variantes son enseñados en seminarios, talleres, libros, ejercicios y grabaciones de audio de conferencistas famosos como Anthony Robins, Tad James, Brian Tracy, Tony Buzan y Christopher Howard.

Sí, yo tengo cicatrices, pero estas no eran manchas "terminales" como yo había pensado alguna vez. Estas no eran evidencia de mis defectos o una validación de mi falta de dignidad. Estas fueron el resultado del "fuego más caliente" y me empoderaron para emerger con la fortaleza y la determinación indomable del "mejor acero". Esta cita constituyó un recordatorio sencillo de que la vida no es fácil y de que muchas veces no es lo que se espera, y de que pueden ocurrir cosas asombrosas; la fortaleza y el carácter con frecuencia se desarrollan a través de las circunstancias más desafiantes y sea que el fuego nos destruya o nos esculpa, eso dependerá completamente de cada uno de nosotros.

Yo solía manifestar frustración y sobrecogimiento ante todos los obstáculos y dificultades que encontraba en el viaje hacia mi vida ideal. Solía considerar a estos como impedimentos que me retenían y me impedían una vida de plenitud y deseos por alcanzar mi potencial. Pero cierto día, me di cuenta que las prueba y las tribulaciones eran también mi vida. Es como lo dijo en una ocasión Bette Howland: "Durante mucho tiempo me parecía que la vida real estaba a punto de empezar, pero siempre surgía algún obstáculo en el camino. Algo tenía que hacerse antes, había un asunto no terminado, algún plazo de tiempo para completar, alguna deuda para pagar. Cuando eso ocurriera, la vida iba a empezar realmente. Pero al fin me di cuenta que esos obstáculos eran mi vida". Día tras día, los obstáculos y los desafíos que enfrentaba fueron moldeándome lentamente, fueron dando forma a la mujer que estaba llegando a ser.

Nixon estaba hasta el cuello de espionaje y sabotaje político; abusó del poder y eventualmente pagó el precio. Y aún así, de alguna manera sus palabras resultan conmovedoras para mí por causa del escándalo, no a pesar de éste. Y a medida que aprendía más acerca de él, me daba cuenta que aunque cometió sus errores (¡errores de los grandes!), también logró varias cosas en su período presidencial. Abrió la comunicación y trabajó para eliminar la tensión que había en varias relaciones clave, las cuales potencialmente eran explosivas para ambas partes.

En mi vida he experimentado algunos momentos increíblemente dificultosos, pero no estoy sola. Hay millones de personas en todo el mundo que han sido moldeadas por el calor intenso y por el dolor. Hay los que se han levantado para enfrentar los desafíos y han luchado para sobrevivir.

Lance Armstrong es un ejemplo inspirador bien conocido. A él se le diagnosticó cáncer testicular avanzado, el cual ya se había extendido hacia sus pulmones y cerebro, y se le había dado un diagnóstico de supervivencia de 50/50. Pero logró más que sobrevivir. Venció al cáncer y volvió a practicar el deporte que tanto amaba, hasta el punto de ganar el Tour de Francia, la carrera en bicicleta más exigente del planeta —e increíblemente lo hizo siete veces. Se dice que Armstrong comentó que el cáncer fue "lo mejor que le pudo pasar". Su mejor desempeño lo logró por el cáncer, no a pesar de este. Pudo canalizar su temor para ganar la batalla más importante de su vida, y al hacerlo, dio esperanza y motivación a millones de otras personas. Su contribución al mundo del ciclismo es incuestionable, pero quizás su mayor aporte la hizo a favor de las personas que sufren de cáncer.

¿O qué hay de los niños en Ruanda que fueron raptados de sus familias? Niños tan pequeños de la edad de ocho años que fueron secuestrados y forzados a experimentar extrema violencia —¿cómo puede alguien recuperarse de semejante horror? Con la ayuda de la UNICEF, estos jóvenes están siendo rehabilitados, se está cuidando de ellos para devolverlos a sus comunidades. Están recibiendo ayuda para que puedan estudiar y vencer sus propios temores para luego tener vidas productivas.

La idea expresada tan poéticamente por Nixon también ha sido articulada por otros. Por ejemplo, Federico Nietzsche dijo: "Aquello que no nos mata nos hace más fuertes". También escuché: "Si Dios lo permite, es porque también podemos aguantarlo".

Aprender a aceptar las condiciones de la vida —aún las que nos resultan difíciles— puede resultar una experiencia liberadora. Si usted tuviera un diamante de cinco quilates, el cual le hubiera sido dado por su abuela, y su casa se quemara, ¿se alejaría usted de la ceniza y los escombros o se hincaría de rodillas para buscarlo? Los diamantes se produjeron bajo circunstancias extremas y lo mismo ocurre con nosotros. Sin importar qué desastre o dificultad experimentemos al apoyarnos sobre los hombros de gigantes, todos podemos producir esos diamantes —la magnificencia de nuestro verdadero ser interior— a partir de las cenizas.

Cómo incorporar esta sabiduría en su vida

La forma de pensar limitada es muy insidiosa —la gente es capaz de decir y hacer casi cualquier cosa para defender sus limitaciones. Piense en aquella conversación que usted tuvo con un colega cerca de la máquina del café o con ese amigo que simplemente apareció para conversar sobre los problemas que tenía con su esposa. ¿Utilizó esta persona frases negativas, expresó creencias limitantes, razones y excusas sobre por qué no lograba conseguir algo? ¿Sonó convincente esa persona o fueron simplemente declaraciones y excusas sobre la "verdad" o los "hechos" basándose en su interpretación de los sucesos? ¿Es posible que se pueda cambiar la versión con simplemente encontrar una nueva alternativa o interpretación? La PNL dice categóricamente, "Sí, es posible". De modo que piense en una creencia, decisión o comportamiento que usted tenga ahora mismo que esté siendo un obstáculo en algún área de su vida. Puede tratarse de algo como lo que se menciona a continuación:

- ☞ No puedo empezar mi propio negocio porque soy madre soltera.
- ☞ Nunca tendré éxito porque no estudié en la universidad.
- ☞ Nunca seré rico porque mis padres nunca me enseñaron a administrar el dinero.
- ☞ Nunca seré un buen padre porque vengo de una familia deshecha.
- ☞ Mi hijo o esposo nunca me escuchan porque no me respetan.
- ☞ Mi esposo es adicto al trabajo y eso significa que ya no me ama.

Tome esa declaración (o cualquiera que se parezca a las que aparecen arriba) y pregúntese lo siguiente: "¿Qué más puede significar eso?" o "¿Qué es aquello que no he notado en esta situación particular que pudiera darle un nuevo significado, y por lo tanto, cambiar mi respuesta ante esa persona o situación?"

POR EJEMPLO

Comentario: No puedo comenzar mi propio negocio porque soy madre soltera.

Replanteamiento: ¿No será posible que las habilidades administrativas que usted ha aprendido respecto al manejo del tiempo y el dinero aumenten sus posibilidades de lograr el éxito como empresario? ¿No es posible que la responsabilidad que usted siente hacia su hijo sea una fuerza motivadora hacia el éxito en su nuevo propósito y que le ayude a mantener la motivación protegida de los desafíos que encontrará? ¿No es posible que empezar su propio negocio le dé un nuevo nivel de libertad y seguridad, lo cual le genere una estabilidad que nunca experimentaría si estuviera a merced de un empleador y que en el nuevo empleo usted tenga la oportunidad de compartir más tiempo con sus hijos lo que a su vez le convertirá en una mejor madre?

POR EJEMPLO

Comentario: Mi esposo es adicto al trabajo y eso significa que ya no me ama.

Replanteamiento: ¿No será posible que el hecho de que su cónyuge sea adicto al trabajo se deba a que le ama demasiado? ¿Será que él quiere que usted tenga lo mejor que el dinero pueda comprar? ¿Podrá significar esto que es el momento de expresarle cómo se siente usted? Tal vez su cónyuge se sienta aliviado de escuchar que usted preferiría que ustedes dos pasaran más tiempo juntos y que el dinero no sea lo más importante para usted.

Capítulo 2

"El mapa no es el territorio". **—Alfred Korzybski**

Alfred Korzybski fue un filósofo y científico polaco al que se le recuerda por su teoría general de la Semántica. En esencia Korzybski creía que los seres humanos estamos limitados en nuestro conocimiento por la estructura de nuestro sistema nervioso y por nuestro lenguaje. Nuestra experiencia del universo, por lo tanto, no necesariamente presenta una perspectiva objetiva, sino que más bien, se ve influenciada por la manera como nuestra mente interpreta el mundo y por la forma como lo describimos.

Si usted ha estado relacionado con la programación neurolingüística (PNL) probablemente haya escuchado esa declaración. Pero ¿qué significa exactamente? Como desarrollador de la Semántica General, Korzybski estudiaba la realidad y para él era obvio que lo que presumimos que es realidad es sólo una representación o interpretación de lo que pudiera ser descrito como realidad. La forma en la que él articuló esto fue diciendo que el mapa no es el territorio y que por lo tanto no existe tal cosa como una realidad objetiva.

Si usted mira un mapa de Melbourne, este es sólo una representación de Melbourne. No importa cuán bueno sea el mapa, aún si muestra todo detalle, aún si el mapa fuera un modelo a escala real, sigue siendo simplemente un mapa. Es una representación pero no es la ciudad de Melbourne. En la vida, nuestra memoria es un mapa. Utilizamos nuestra memoria y las experiencias acumuladas para influenciar nuestro terreno presente. Asumimos que el mapa es el terreno y que lo que recordamos o que lo que creemos sobre nuestras experiencias pasadas es la verdad. Sin embargo, la realidad no es tan concreta. Es algo enteramente subjetivo, basado en el mapa que pensamos que es el mundo.

Ese mapa nunca es exacto pero asumimos que lo es. Es este desacuerdo entre mapas lo que causa tantos conflictos en el mundo. Equivocadamente asumimos que lo que pensamos es verdadero o correcto o exacto. Si uno pone juntas a dos personas de distintas creencias religiosas, ambas creerán que su punto de vista es el correcto.

Lo que creemos que es real no es nada más que una interpretación y utilizamos palabras para describir esa interpretación.

En una ocasión Korzybski estaba pronunciando una conferencia ante un grupo de estudiantes y en la mitad de su disertación se dirigió a su maletín para recoger un paquete de galletas envueltas en papel blanco. Dijo que tenía que comer algo y le preguntó a los estudiantes de la fila del frente si les gustaría tener unas galletas. Algunos estudiantes tomaron sus galletas y empezaron a comerlas. Korzybski dijo, "Buenas galletas, ¿no lo creen?". Enseguida tomó una segunda galleta mientras sus estudiantes de la primera fila se divertían comiéndoselas. A continuación el profesor Korzybski rasgó el papel blanco de las galletas para revelar el empaque original. En este había la fotografía de un perro y la frase "Galletas para perros".

Los estudiantes estaban atónitos y dos de ellos salieron de la sala de conferencias con su mano en la boca como si estuvieran a punto de vomitar. "Lo ven, damas y caballeros", dijo Korzybski, "Acabo de demostrar que la gente no sólo consume alimentos, sino también palabras, y el sabor de las galletas anteriores quedó anulado por el sabor de las galletas posteriores". Esta broma ilustró cómo el sufrimiento de algunos humanos se origina no de la realidad misma sino de las representaciones confusas que hacemos de esta. La realidad es que aquellos estudiantes junto con el profesor Korzybski comieron galletas para perros pero no fue aquello lo que los hizo sentir mal. El mismo efecto se hubiera logrado si aquellas no hubieran sido galletas para perros sino que hubieran estado envueltas como si lo fueran. La realidad de la situación era irrelevante —fuera que se tratara de galletas para perros o no, era un asunto irrelevante al hecho de que ellos se hubieran sentido mal. La única diferencia fue que un minuto antes ellos *pensaban* que estaban comiendo unas deliciosas galletas y un minuto después ellos *pensaron* que estaban consumiendo galletas para perros. La conmoción fue causada únicamente por la forma como percibieron la realidad.

Este principio es particularmente relevante en el contexto de examinar lo que puede estar yendo mal en las relaciones —ya sean interpersonales o de negocios. En cualquier momento en que haya una persona observando un evento, se abre la puerta de la posibilidad de que surjan malos entendidos o comunicaciones equivocadas teniendo como base los diferentes mapas de la realidad. Aprender a reconocer que todos tenemos diferentes mapas (filtros mediante los cuales vemos y procesamos el mundo a nuestro alrededor) nos permitirá verlo desde la perspectiva de la otra persona, y por lo tanto, entender, relacionarnos y comunicarnos con una medida mucho mayor de respeto y por ende conseguir mejores resultados.

Hace un tiempo, estuve casada por siete años en Canadá. De muchas maneras, mi esposo y yo éramos bastante diferentes el uno del otro pero nunca identificamos ni consideramos esas diferencias antes de casarnos. La crianza que recibimos de nuestras familias y nuestras experiencias eran muy dispares y teníamos metas diversas sobre lo que deseábamos respecto al futuro. Yo era bastante emocional, espontánea, tranquila y me gustaba correr riesgos. Por otra parte Tim era ingeniero —era bastante práctico, organizado, estructurado y metódico. Su mapa del mundo era totalmente diferente al mío. Todo tenía que estar en su lugar y las decisiones más importantes de la vida tenían que ser planeadas sobre el papel con buena anticipación, lo que incluía planes de contingencia.

Después de dos años de matrimonio, empezamos a considerar el tema de iniciar una familia. Yo conocí a Tim cerca de un año después de la muerte de mi madre, de modo que él estuvo conmigo en tiempos verdaderamente difíciles y sabía que yo luchaba con el hecho de haber perdido a mi familia inmediata. Y a pesar de que continuamente estuve concentrada en mi carrera, siempre tuve la idea de tener mi propia familia algún día. Yo quería desesperadamente tenerla y desarrollar en ella un sentido de pertenencia, de conexión y de fundamento. La familia de Tim me acogió de forma muy especial y yo disfrutaba las veces que íbamos en las vacaciones a la casa de sus padres y compartíamos con sus cuatro hermanos, sus esposas y todos los niños. Eran días llenos de ruido, bastante ocupados pero había un verdadero sentido de amor y apoyo.

Por esos días yo todavía estaba luchando con la perdida de mi madre y había intentado muchas terapias y consejería para sanar. El primer punto de verdadero viraje fue cuando se me remitió a un psiquiatra, el doctor Dave McMullen. No creo que él tuviera muchos más años que yo —probablemente tenía unos treinta años cuando lo conocí, y era la persona más informal y tranquila que pudiera conocer. Cuando fui a su consultorio estaba con unos pantalones y una camisa casuales con apariencia de estar más preparado para una excursión por la montaña que para una cita médica. La consulta con el doctor MacMullen fue increíblemente buena y me hizo sentir bastante cómoda y aceptada.

Durante dos años lo visitaba una vez al mes. No era mucho lo que hablábamos. Él me vio hacer grandes progresos respecto a superar la muerte de mi madre y ya estaba genuinamente empezando a sentirme mejor. Recuerdo muy claramente que cierto día le dije que mi esposo lo quería conocer. Dave me preguntó la razón y yo le dije que él había preparado una lista de todas las cosas que no estaban bien conmigo, que de algún modo estaba estropeada. Le dije que él consideraba que dado que mis padres se habían divorciado y no había podido superar la muerte de mi madre de algún modo sentía que yo no podría ser una buena madre y que no quería tener hijos conmigo.

Lo que Dave me dijo ese día cambió mi vida para siempre. Me dijo: "No tengo ninguna duda de que tu esposo necesita visitar a un psiquiatra, pero tú, sin embargo, ¡no lo necesitas! No hay nada mal contigo —Tú no estás estropeada".

"Tú has pasado por un calvario increíble y has estado enfrentándolo extremadamente bien. Lo que has hecho y en lo que te has convertido a pesar de tus circunstancias y de la muerte de tu madre es precisamente la razón por la que sé que podrás ser una madre increíble algún día. No puedes dejar que la realidad del mapa de alguien más te limite en cuanto a lo que tú crees que puedes lograr".

Al final del día, no habían correctos o incorrectos respecto al asunto. Tim provenía de una familia grande y amorosa y yo no. Ambos analizamos la misma situación y cada uno desarrollamos un pronóstico muy diferente sobre lo que aquello significaba para el futuro.

No hay tal cosa como la realidad objetiva y no hay una verdad única que sea tu verdad. La vida no se compone de sucesos sino de lo que hacemos que esos sucesos signifiquen. En mi matrimonio, mi esposo hizo que los sucesos trágicos de mi vida significaran que yo estaba estropeada y que como resultado ello debía significar que no deberíamos tener hijos. Yo no concordaba con eso. Al final, yo decidí dejar la relación para buscar la oportunidad de conocer a alguien que viera el potencial que yo tenía. Alguien que como Dave, pudiera apreciar que mi tragedia tenía el potencial de hacerme aún una madre mucho más amorosa, con lecciones muy valiosas para transmitir a mis hijos.

¿Sabía usted…?

Uno de los principios generales de la Semántica tiene que ver con la idea de que la realidad se ve influenciada enormemente por las palabras que utilizamos para describir nuestras experiencias. Esto es bastante obvio si consideramos que el lenguaje es un instrumento fundamental de comunicación para con otras personas o para nosotros mismos. El lenguaje fue lo único que convirtió un pequeño y dichoso refrigerio en una experiencia repulsiva. Estudios conducidos con grupos indígenas han demostrado que como resultado de que algunas de estas culturas no tienen palabras para describir ciertos conceptos, tales cosas no existen en estas comunidades. Por ejemplo, en algunos idiomas de los nativos americanos no existe una palabra para "mentira".

En el idioma inglés hay unas 200.000 palabras de uso común. Si uno las contara en el diccionario de inglés de Oxford hay en total unas 615.000. Si agregáramos las palabras científicas y técnicas habría millones de palabras para escoger. Y sin embargo, se estima que el vocabulario en uso de una persona promedio es entre 2.000

y 10.000 palabras. Muchos de los que han hecho grandes contribuciones al mundo, han hecho un uso bastante extenso del lenguaje. Por ejemplo, William Shakespeare, utilizó 24.000 palabras en sus escritos y acuñó cientos de nuevas palabras —aquello es asombroso, admirable y majestuoso.

Hay una historia sobre dos gemelos que crecieron juntos. Su padre a menudo entraba y salía de la prisión y la vida de ellos no era fácil. Uno de los gemelos se convirtió en un abogado exitoso y tuvo una vida muy productiva. El otro gemelo pasó muchos años en prisión. A ambos se les entrevistó, teniendo en cuenta sus antecedentes y se les preguntó por separado por qué habían terminado como lo hicieron. Cada uno contestó: "No tenía otra opción". Ambos experimentaron la misma realidad y sin embargo, cada uno la interpretó de forma diferente. Uno de ellos asumió que por razón de que su padre había tenido conducta delictiva no había otra opción sino seguir los mismos pasos de su padre. Pero el otro gemelo vio los hechos de forma diferente. Para él la opción que tenía era la de romper el ciclo porque la vida del delito no es una forma de vida, él mismo experimentó como ese proceder había arruinado a su familia y estaba determinado a NO seguir los pasos de su padre.

¿Qué hizo la diferencia? Ambos experimentaron el mismo tipo de vida como hijos, hasta tenían la misma composición genética, no obstante, su interpretación de las experiencias vividas hizo la diferencia, y como resultado sus vidas fueron muy diferentes. Es como lo dijo Frederick Langbridge: "Dos hombres contemplan las barras de la prisión; uno de ellos ve el fango y el otro estrellas".

¿Quién escribe la historia? Considerando que los perdedores de la mayoría de las batallas mueren o quedan cautivos es bastante seguro decir que los ganadores escriben la historia. Sobre esta base no pueden ser relatos muy objetivos. Si tuviéramos la posibilidad de regresar y preguntar a los perdedores de la historia sus versiones, se nos recordaría que el mapa no es el territorio —en cada historia hay por lo menos dos lados. Y nuestra historia personal no es menos concreta. Es simplemente un recuerdo o una representación de lo que asumimos que ocurrió en un momento en el tiempo. Es una conclusión capturada. Si pudiéramos revisar esas conclusiones con nuevas vistas o mayor conocimiento podríamos cambiar el pasado y liberarnos de aquellos recuerdos que nos atormentan. Las viejas heridas y los viejos traumas dejarían de tener efecto en nosotros y estaríamos nuevamente libres para poder avanzar.

Usted puede cambiar el pasado —el pasado es simplemente una perspectiva de lo que sucedió. Entender que pueden existir miradas desde otras perspectivas, todas igualmente "verdaderas" puede liberarnos de su dominio. Korzybski no fue la única mente brillante que llegó a esa conclusión de que la realidad objetiva no existe. Se sabe que Carl Jung creía exactamente lo mismo. Hay una cita de él en la que dice: "La percepción es una proyección", es decir, que lo que vemos afuera es simplemente una proyección de lo que hay dentro de nosotros mismos. La autora y ganadora del premio Booker Prize, Penelope Fitzgerald, dijo: "No hay dos personas que vean el mundo externo exactamente de la misma manera. Para cada individuo una cosa es como él piensa que es —en otras palabras, no es una cosa, es un pensamiento".

Una vez que uno entiende que la verdad y la realidad no son más que un compuesto de nuestras creencias e interpretaciones, entonces logra tener mucho más control sobre la forma como ve el mundo. Los eventos y las influencias del mundo exterior dejan de tener el mismo poder. Nadie puede hacerle sentir lo que usted no quiera sentir. Sea que usted vea todo como una confirmación de fracasos o como una validación de que puede vencer cualquier cosa, eso depende completamente de usted.

Cómo incorporar esta sabiduría en su vida

Nuestros mapas internos de la realidad pueden cambiar con el tiempo. Lo que consideramos posible, normal o sensible, puede evolucionar en una multitud de formas:

- ☞ Las personas que conocemos
- ☞ El conocimiento que adquirimos
- ☞ Los lugares que visitamos

Esencialmente nuestro punto de vista cambia cuando expandimos nuestro conocimiento. Es posible que conozcamos a alguien de una cultura distinta y esa persona nos aporte una perspectiva completamente nueva. Lo mismo puede decirse de los lugares que visitamos, los programas de televisión que vemos o los libros que leemos. Mientras que tal vez una tarde de Jerry Springer no ayude mucho, es posible que las ideas que usted obtenga de visitar una biblioteca local, tengan un efecto bastante provechoso. Las ideas y el conocimiento que se encuentra en los libros, en los documentales y en el internet pueden abrir nuestras perspectivas y darnos un nuevo significado en la vida. Y dado que todas estas cosas están accesibles a todos, las posibilidades de invitar el cambio están a nuestra entera disposición.

Por ejemplo, si lo que usted desea es ser rico, necesitará entender el panorama de la riqueza. Necesitará entender la terminología y el lenguaje del dinero. Si desea ser el propietario exitoso de un negocio, entonces tendrá que expandir su conocimiento sobre el comercio de modo que pueda comunicarse apropiadamente con el mundo de los negocios.

Cada vez que usted lea o escuche una palabra que no entiende vaya y consúltela en un buen diccionario. Su tarea será utilizar esa palabra durante las próximas 24 horas en una conversación. Si usted expande su entendimiento, conocimiento y vocabulario, expandirá los mapas de la realidad y a su vez expandirá las posibilidades en su vida.

Capítulo 3

**"Para el hombre que sólo tiene un martillo,
todo lo que encuentra se convierte en una puntilla".
—Abraham H. Maslow**

Abraham Maslow fue un psicólogo americano. Su trabajo más famoso fue el de la jerarquía de las necesidades humanas, algo de lo que trataremos en el capítulo 15. Se le considera el padre de la Psicología Humanista. A diferencia de sus contemporáneos, su trabajo no se concentró en lo enfermo o anormal; por el contrario, él creía que cada persona tenía los recursos para crecer y para sanar, y que el propósito principal de la terapia era ayudar a los individuos a remover los obstáculos que les impide conectarse con su habilidad sanadora innata. Este enfoque humanista, por supuesto, se convirtió en la base de la mayoría de las terapias disponibles en la actualidad.

Una de las piezas cruciales de nuestro rompecabezas es nuestro sistema de creencias. Nuestras creencias sobre lo que es verdadero, real o posible se ensamblan en nuestra niñez mediante un proceso llamado condicionamiento. Esencialmente, los niños aprenden lo que es "normal" de parte de la gente que los rodea. De forma natural absorben ideas, percepciones, creencias y actitudes de parte de quienes están a su cuidado. Estas creencias respecto al mundo pueden tener un tremendo impacto sobre lo que obtendrán en la vida. Si los padres de una persona fueron comprensivos y amorosos, y le animaron a alcanzar sus sueños, enseñándole que cualquier cosa es posible, entonces eso es lo que esa persona creerá que es cierto. Pero si los padres de esa misma persona consideraban que eso no era cierto y manifestaban tedio y estaban desilusionados con los resultados de sus propias vidas, entonces existen muchas posibilidades de que tal persona termine adoptando esas creencias limitantes.

Einstein se refirió a este tipo de creencias limitantes como a "las fronteras que condicionan nuestro pensamiento". Tales ideas, conceptos y opiniones actúan como una caja en la cual nos introducimos de forma inconsciente desde una edad muy temprana. Lo que consideremos que sea posible se ve influenciado por esas ideas rígidas —y son estas ideas las que componen el "mapa" al cual nos referimos en el capítulo anterior. Por eso es que con frecuencia se dice que la forma de pensar que nos trajo a lo que somos ahora, nunca nos llevará a aquello que deseamos ser.

Teniendo como base mis propias experiencias de la niñez, pudiera decir que desarrollé una fuerte creencia de que la vida tenía que ser difícil. Una buena parte de mi niñez temprana estuvo caracterizada por la lucha constante. Siempre estaba haciendo malabares para cumplir con múltiples compromisos y sentía que cada segundo de mi vida tenía que tener un "propósito". La idea del trabajo duro estaba bastante arraigada en mí; y simplemente pensaba que aquello era lo normal. Cuanto más trabajara para conseguir algo, mejor me sentía al respecto.

Y aún cuando era una niña muy pequeña, era adicta a la adrenalina del acelere y de la satisfacción de conseguir lo que parecía difícil o que representaba un reto. A la edad de seis años, mis padres me inscribieron en lecciones privadas de patinaje, piano y ballet. A medida que transcurría el tiempo yo me levantaba a las cinco de la mañana para recibir lecciones de patinaje sobre el hielo a las seis de la mañana. Mis tardes y mis fines de semanas estaban ocupados con lecciones de patinaje, clases de ballet, ensayos de piano, y mis tareas escolares. Yo era un remolino de actividades sin parar. Mi familia completa se unía a las faenas —mi padre se convirtió en un juez de patinaje, mi madre diseñaba y producía todos mis atuendos y a mi hermano lo llevaban a todas partes a observar.

A esa tierna edad mi vida se hizo increíblemente seria. Y aunque amaba las actividades en las que participaba, y a pesar que todo ello me enseñó numerosas lecciones valiosas que he podido emplear en otras áreas, la naturaleza extrema de todo ello me condicionó a creer que tenía que quedar desinflada todo el tiempo sólo para ser lo suficientemente buena. Sin importar lo que hiciera o lo que lograra, nunca parecía ser suficiente. Mis padres esperaban que yo lograra la excelencia en todo, y cuanto más lograba, más esperaban ellos de mí. Se llegó al punto en que sólo recibía retroalimentación cuando no lograba las mejores calificaciones en la escuela o cuando no tenía el mejor desempeño en una competencia de patinaje. Recuerdo una ocasión, a la edad de 10 años, en la que me sentía absolutamente aterrorizada, mientras regresábamos a casa con mi padre luego de una competencia de patinaje en la que no tuve un desempeño a la altura de sus expectativas. Él se hacía increíblemente crítico de mis faltas y yo me sentía avergonzada cuando mis compañeros lo oían regañarme por el corredor. Entonces empecé a odiar ir a la pista de patinaje porque ya había desarrollado ansiedad extrema respecto a mi propia habilidad de estar a la altura de sus expectativas.

Yo llevé esta adicción al logro a la vida adulta. Estoy bastante segura de que fui a la Escuela de Leyes y obtuve una tesis meritoria en parte porque quería agradar a mis padres y en parte porque aquello exigía bastante trabajo y dedicación. Nunca dejé de preguntarme sobre lo que verdaderamente quería en la vida y sobre aquello que era lo más importante para mí. Pensaba que si trabajaba los suficientemente duro, de algún modo, todo resultaría al final en una recompensa a mis esfuerzos. Pero ese final nunca llegó —jamás llegué a ese lugar de "destino" —de hecho, tan pronto como mi tren partía hacia la estación de mi última meta, ya estaba comprometida con el siguiente viaje por una montaña empinada y peligrosa. Nunca había tiempo de retirar mi equipaje del tren, nunca había tiempo para celebrar, ni tampoco para hacer una pausa para la reflexión respecto a lo que había obtenido. Aún en las ocasiones en las que las circunstancias eran fáciles o todo salía bien, buscaba maneras de hacerlas difíciles porque el trabajo duro era la zona familiar y cómoda.

Ahora bien, con esto no estoy diciendo que el trabajo duro y ético sea malo, puede de hecho ser bastante útil. Sin embargo, mi aceptación sin cuestionamientos de que la vida tenía que ser difícil me estaba matando. El mapa que tenía en mi mente de la forma como tenía que llevar mi vida para hacerlo "apropiadamente" me estaba reteniendo de tener lo que verdaderamente deseaba —amor, felicidad, diversión y un sentido de tranquilidad y disfrute. ¡Mi obsesión por el trabajo duro era mi martillo!

Hace poco hice una terapia de línea de tiempo para liberarme de la creencia limitante de que todo en la vida tiene que ser una lucha. Adopté la nueva creencia de que puedo hacer cualquier cosa y que todo puede venir a mí de una forma fácil. Esto representó un gran cambio porque me permitió ir más allá de mis creencias limitantes y me permitió escribir este libro. Cuando cambié mi forma de pensar respecto a este proyecto pude dividir el libro en piezas que podía manipular y procesar rápida y fácilmente sin tener que convertirlo en toda una proeza.

Las creencias limitantes son muy importantes porque estas influyen en lo que consideramos "normal" y "posible". La historia está llena de ejemplos de creencias limitantes. Durante milenios el hombre creyó que la tierra era plana, y esa creencia impidió que el ser humano explorara el mundo porque pensaba que si se alejaba demasiado, caería por el borde hacia abajo. Afortunada o infortunadamente, dependiendo de quién lo diga, Colón no pensó que aquello fuera cierto y se hizo a la mar hasta descubrir un nuevo mundo.

Cuando Roger Bannister rompió el récord de la milla en cuatro minutos, había una creencia limitante universal de que aquello era imposible y se convirtió en un gran hito para muchos corredores. Irónicamente, tan pronto como Bannister rompió la barrera, varias personas pudieron hacerlo casi que de inmediato. El límite artificial fue roto y con ello la incertidumbre que le había impedido a muchos siquiera intentarlo. Como resultado, lo que anteriormente se veía como una meta inalcanzable se convirtió en algo alcanzable y otros corredores rápidamente lo lograron.

En la década de 1950 era posible realizar trasplantes de riñón pero a la gente le asustaba la idea de someterse al bisturí —por obvias razones. Entonces, un médico en Chicago condujo un trasplante exitoso y publicó sus resultados. Rápidamente los trasplantes se hicieron comunes y salvaron miles de vidas. Los pacientes con trasplantes creyeron que aquello era posible y de esa forma lograron sobrevivir. Y como resultado de todo ello, las estadísticas exitosas se han multiplicado.

Si uno se remonta a tan sólo hace 100 años, la idea de enviar a un hombre a la luna hubiera parecido delirante y quien se hubiera atrevido a expresarlo probablemente hubiera terminado en un sanatorio. Sin embargo, en 1969, Neil Armstrong se convirtió en el primer hombre que pudo caminar sobre la superficie lunar. En el año 1961 cuando John F. Kennedy declaró que América llevaría a un hombre a la luna antes de terminar la década, aquello sacudió inmediatamente a la comunidad científica. Antes de eso, la idea de un alunizaje parecía un sueño imposible de alcanzar, o al menos algo demasiado lejano. La declaración de Kennedy representó un nuevo límite en la condición y en la mente colectiva de la nación. Sobresalientemente, en vez de enfocarse en las razones por las cuales el proyecto no podría hacerse, los grandes científicos de los Estados Unidos se concentraron en dirigir su energía y toda su atención en lo que necesitaba hacerse para alcanzar esa meta.

La parte engañosa de las ideas limitantes es que estas predominantemente influyen de forma inconsciente. Para ilustrarlo, la mente es como un iceberg; la punta del iceberg es la mente consciente. No obstante, la parte más grande y más substancial del iceberg representa la mente subconsciente. Como adultos, simplemente no estamos conscientes de los pensamientos que están limitando nuestras experiencias y resultados ya que ello subyace debajo de la superficie en la mente subconsciente. Por ejemplo, alguien que haya crecido en la pobreza tendrá un concepto sobre el dinero bastante diferente de alguien que no haya experimentado preocupaciones económicas o de alguien cuyos padres nunca discutieron sobre asuntos de dinero. Un niño que haya crecido en la pobreza probablemente habrá escuchado toda clase de razones y excusas sobre no tener dinero. Posiblemente haya escuchado que las personas ricas son deshonestas y que el dinero es la raíz de todos los males y que, por lo tanto, ser pobre es algo honorable.

El adulto probablemente no recuerde de forma consciente esas ideas pero quizás cuando tenga un poco de dinero descubrirá que este se escurre rápidamente de entre sus dedos. Y aún, hasta cuando sea ascendido y promovido en su lugar de empleo, nunca parecerá tener suficiente dinero. ¿Por qué? Porque las creencias limitantes inconscientes provocan impactos en sus experiencias financieras. Se dice que si uno desea saber qué pensaba en el pasado sobre el dinero, la salud, las relaciones, etc., todo lo que se necesita hacer es ver los resultados que se tienen hoy. Cuando se hace el esfuerzo de expandir el pensamiento, se expande el kit de herramientas para la vida y aquello asegura que se tienen más herramientas y opciones para manejar los eventos y situaciones que surjan. De esa manera uno estará en mejores condiciones de utilizar la herramienta apropiada dependiendo de la situación, y así obtendrá la confianza de saber que puede sortear lo que se presente en el camino.

¿Sabía usted…?

Sin duda usted ha escuchado acerca de los perros de Pavlov, quien condicionó a sus perros a salivar al sonido de una campana aún cuando no había comida presente. Probablemente usted esté pensando que eso no tiene que ver con su realidad…

Las herramientas que utilizamos en la vida o los mapas que empleamos para navegar por la vida, todos son creados exactamente mediante el mismo proceso —la respuesta condicionada. Pavlov alimentaba a sus perros y estos salivaban. Entonces alimentó a sus perros al mismo tiempo que hacía sonar una campana y los perros empezaron a salivar. Con el tiempo, sólo hacía sonar la campana y los perros salivaban.

El descubrimiento de Pavlov condujo a importantes progresos en la Psicología Comparativa. A medida que los niños crecen, aprenden de su entorno y de la gente que los rodea. A fin de darle sentido a la información asumimos cosas y hacemos asociaciones las cuales no siempre son precisamente útiles. Digamos que como niño usted va a la tienda a comprar leche para su madre y de regreso de la tienda un perro salta por la puerta del jardín y le ladra; la impresión del suceso hace que usted deje caer la botella y se causa una cortada en su dedo. Dado que esta es una experiencia emocional, su cerebro analiza las características comunes del evento de modo que lo pueda registrar en los bancos de la memoria como "cosas para evitar". Su mente de niño inconscientemente presenta la secuencia: leche = vidrio roto = perro = dolor. Con el tiempo ello puede quedar simplificado a perro = dolor. Como adulto usted se siente bastante incómodo cuando hay perros en su presencia y no tiene idea del porqué ya que el incidente de la leche sucedió hace mucho tiempo. Pero ello representa una carga emocional que inmediatamente crea una respuesta condicionada. Desde ese momento en adelante, si uno o más de esos estímulos se presentan, usted de forma inconsciente, prenderá un piloto automático que generará la misma ansiedad e impacto que cuando usted era niño.

A lo largo de la vida es posible que usted cree miles de esas respuestas condicionadas o ajustes predeterminados los cuales tienen influencia en su vida. Con frecuencia estos no causan daño y tienen poca influencia en la vida diaria. No obstante, si la respuesta condicionada es lo suficientemente fuerte, entonces puede causar un efecto profundo. Se convierte en su martillo que hace que todo parezca una puntilla.

Dada la facilidad el cerebro tiene una predisposición a utilizar y reutilizar respuestas automáticas, aún cuando la respuesta no encaje con la situación. Es una reacción previsible la cual se basa en una reacción que se asumió hace mucho tiempo. De vez en cuando, estas respuestas necesitan ser revisadas o ajustadas para producir los resultados que queremos alcanzar en nuestra vida a un nivel consciente.

Cómo incorporar esta sabiduría en su vida

¿Alguna vez experimentó que al momento de suceder algo usted tuvo una reacción emocional inmediata, y que luego, cuando todo se calmó, se sorprendió de la forma en que reaccionó exageradamente con respecto a la situación?

Al pensar en ese episodio, ¿recuerda usted otra situación similar donde ocurrió lo mismo? Aparte tiempo y ponga por escrito cada ejemplo que pueda recordar en el que se ha sentido confuso por la intensidad de su reacción. Escriba la mayor cantidad de detalles posibles sobre cada situación. Preste cuidadosa atención a las personas que estuvieron involucradas, el lugar donde todo ocurrió, lo que usted dijo, y la forma como se sintió al respecto. ¿Existen similitudes entre los eventos? Cuando se está en capacidad de ver la conexión que hay en los eventos se puede con el tiempo cambiar el comportamiento o aprender a anticiparlo.

Capítulo 4

"Aquello en lo que me concentro es aquello que consigo".
—W. Mitchell

W. Mitchell se ha convertido en un motivo de inspiración para todo aquel que conoce su historia. Él es un hombre de negocios y político exitoso, pero por lo que mejor se le conoce es por su valor inquebrantable y su espíritu humano indomable cuando ha tenido que hacer frente a desafíos de aquellos que cambian el curso de la vida. Al principio tuvo un accidente motociclístico en el que el 65% de su cuerpo resultó quemado. Luego de recuperarse de esa terrible pesadilla, y de quedar marcado de forma permanente por las cicatrices, sufrió un accidente aéreo, el cual le costó su facultad de caminar. Pero nada de esto minó su capacidad de vivir a plenitud, con pasión y con una excelente disposición.

Aquello en lo que nos enfocamos desempeña un papel vital respecto a la realidad que experimentamos. Hasta aquí hemos hablado de las creencias limitantes y de los mapas de la realidad que influyen en nuestra experiencia. En otras palabras, lo que experimentamos depende en buena medida de lo que sucede en nuestro interior mucho más de lo que ocurre fuera de nosotros mismos. Lo que sucede en la mente es mucho más importante y relevante que lo que realmente ocurre en la vida.

Se estima que durante el momento en que nos despertamos, el sistema nervioso es bombardeado de unos dos millones de bits de datos sensoriales por segundo, respecto a lo que sucede a nuestro alrededor. Todos recibimos y procesamos esa información a través de nuestros cinco sentidos —la vista, el oído, el tacto, el olfato y el gusto. Sin embargo, la ciencia ha descubierto que la mente es increíblemente selectiva respecto a la información a la cual decide prestar atención, ya que no se concentra en procesar todos los datos a la vez. De forma inconsciente, filtra la información que no es relevante en el momento. Estos filtros de relevancia esencialmente borran, distorsionan o generalizan la información en armonía con el modelo en que hemos concebido al mundo. Al final de este proceso de filtrado habremos construido nuestra percepción del mundo y dicha percepción se basa escasamente en 134 bits (7+/-2 trozos) de información.

De modo que, de dos millones de bits de información que pudiéramos interpretar en un momento dado en realidad sólo estamos conscientes de una fracción muy pequeña. Nuestra interpretación de lo que sucede a nuestro alrededor se basa en menos del 1% de lo que realmente sucede.

Y la razón para esto es simple. Si estuviéramos conscientes de toda la información que potencialmente está a nuestra disposición, nos volveríamos locos. Nuestro cerebro nos ayuda aplicando los filtros de nuestras experiencias, sucesos, eventos, situaciones, respuestas condicionadas, pensamientos y sentimientos pasados para determinar lo que es importante.

Estos filtros, por lo tanto, afectan aquello en lo que nos enfocamos en la vida y en últimas afectan nuestras experiencias. Si en lo que nos concentramos es en el amor, la abundancia, la familia y en hacer una contribución para el mundo, lo que experimentemos será bastante diferente de si nos concentramos en la pobreza, el odio, la desolación y la depresión.

Seguramente usted está consciente de esto. Piense en alguna ocasión en la que haya tomado una decisión importante —puede ser iniciar una familia, casarse con la persona que ama, comprar un auto nuevo o viajar a un destino exótico. Sin importar qué decisión haya sido, sólo permita que su mente se remonte a ese tiempo y recuerde el proceso que atravesó para tomar esa decisión importante. Usted recordará que una vez que enfocó su atención en la decisión, de inmediato se hizo más consciente de esta en su entorno.

Para aquellos de ustedes que se enfocaron en ese auto deportivo rojo, quizás empezaron a notar con mayor intensidad que los autos deportivos rojos se aparecían por todas partes en la carretera. O quizás usted estuvo pensando en tener un bebé y de pronto empezó a ver mujeres embarazadas o madres con niños de brazos en todo lugar. Seguramente parecía que los autos deportivos rojos o las madres con niños se multiplicaron de la noche a la mañana. Pero el asunto es que eso no ocurrió, estos siempre habían estado allí; simplemente usted no los notaba antes porque no estaban incluidos en sus 134 bits de información por segundo de los cuales estaba consciente.

Hasta la edad de seis años, mis padres y yo vivíamos en el sótano de la casa de mis abuelos maternos en un pequeño pueblo en Alberta, Canadá. Mi abuela, Alvina Kutinsky, cuidaba de mí mientras mis padres iban a trabajar. Yo recuerdo esa época como una de las más felices que he tenido en mi vida. Yo era la sombra de mi abuela —horneábamos pasteles en la cocina, deshierbábamos los jardines con flores, y yo me sentaba en mi pequeña silla blanca en el patio de atrás a comer vegetales que ella extraía de su jardín y lavaba con una manguera que había al lado de la casa. Su aprobación amorosa, su ojo siempre vigilante y su paciencia sin límites tuvieron un efecto profundo en mí.

Éramos inseparables. Bajo su cuidado y tutela, yo aprendí a leer y a escribir a la edad de cinco años. También aprendí a contar dinero, podía cantar todos los villancicos de navidad y mucha otras canciones infantiles, tanto en inglés como en alemán. Aquello resultó ser una ventaja para mí porque comencé mi primer año escolar con un gran sentido de confianza y entusiasmo —y eso me acompañó durante mis años escolares y aún cuando fui a la universidad.

Mi abuela nunca aprendió a conducir un auto así que pasábamos la mayoría de los días juntas en la casa o muy cerca de ella. Cuando tenía unos tres años, mi abuela pensó que sería buena idea ir en autobús al centro de la ciudad para hacer algunas compras. Antes de salir de casa mi abuela me sentó por un rato para conversar conmigo sobre la clase correcta de alimentos que debía consumir. Ella era bastante particular respecto a enseñar sobre como consumir alimentos saludables, sacaba grandes lecciones de la nada y siempre insistía en que debía tener desayunos saludables y comidas balanceadas durante el día. Su refrigerador siempre estaba lleno de alimentos naturales muy llamativos. Yo, sin embargo, no estaba muy interesada en los vegetales verdes y había empezado a desarrollar gusto por las golosinas.

Ella me explicó que si yo no cuidaba con atención lo que comía, me iba subir de peso y me iba a poner obesa. Yo quedé impactada por lo que me dijo.

Tomamos el autobús al otro lado de la calle frente a su casa. Recuerdo que me sentí muy entusiasmada y madura por la aventura. Poco después nos sentamos y yo empecé a observar a los demás pasajeros. Para ser honestos, yo había tenido una vida bastante protegida y cada persona y cada cosa parecían demasiado nuevas e interesantes. No tardé mucho en fijarme en una joven unas dos filas de asientos detrás de nosotros. La dama tenía sobrepeso extremo. Para sorpresa y horror de mi abuela, salté de mi silla, señalé a la mujer y dije: "Abuela, abuela, mira… ¡esta joven ha estado comiendo muchas golosinas y se ha engordado muchísimo! ¡Abuela, dile que deje de comer golosinas!".

La expresión en el rostro de mi abuela era divertidísima. Ella se levantó y presionó el timbre sin decir una sola palabra. Nos bajamos del autobús de inmediato. Luego caminamos unas ocho manzanas, mientras mi abuela me explicaba en detalle cómo las personas presentan todo tipo de formas, colores, etcétera. Ella estaba absolutamente apenada por mi reacción. Y aquello es un excelente ejemplo de cómo, si te enfocas en algo, esto se convierte en el centro de tu atención consciente y sobre cómo afecta la forma en la que experimentas el mundo.

Luego de unas tres semanas, mi abuela pensó que era seguro intentar tomar el bus de nuevo —esta vez viajábamos a la ciudad para ver el circo. Yo nunca había estado en un circo, pero tenía alguna idea de qué esperar ya que se había anunciado por la televisión y ya me habían mostrado algo en mis libros. Decir que estaba demasiado entusiasmada es decir poco. Yo estaba fuera de sí por la expectación.

Antes de subirme en el bus, mi abuela me recordó el asunto de que las personas vienen en todas las formas, tamaños y colores, y que no era muy agradable señalar a la gente. De nuevo abordamos el autobús, y nos sentamos en una silla agradable hacia la mitad del bus. Y tal como lo hacen todos los niños, yo empecé a examinar a los demás pasajeros y a observar las casas y los letreros en la calle. En un momento, con la esquina de mi ojo, alcancé a ver la figura de una mujer que llevaba puesto mucho maquillaje encima. Con toda la inocencia de un niño y con bastante expectativas de la visita al circo, salté de mi silla y exclamé, "¡Abuela, abuela, mira al PAYASO!".

Mi abuela trató de calmarme pero nada podía detenerme. Todo el mundo, incluyendo, la dama a la cual yo estaba señalando, empezó a reír, y mi abuela, en silencio, tocó la campana del autobús para que se detuviera en la próxima estación. A pesar que ella se sentía increíblemente abochornada, recuerdo claramente que nunca alzó su voz ni me regañó... durante nuestra larga caminata a casa ella simplemente me dio mi primera lección, a la edad de tres años, de por qué las mujeres utilizamos cosméticos. Después de eso, no recuerdo haber abordado un autobús de nuevo, sino hasta años después cuando nos mudamos de vecindario y necesitaba utilizar el transporte para ir a la escuela primaria.

¿Sabía usted...?

En el año 2004, la Universidad de Harvard condujo algunos experimentos que ilustran cuán ciegos podemos estar en relación con el mundo que nos rodea. Se pidió a un grupo de personas que observaran un video sobre un juego de baloncesto y que contaran cuantos pases se hacían en un determinado equipo.

Una tarea sencilla que exigía poca concentración, pero nada más extenuante. Durante el video alguien vestido de gorila entró a la cancha y caminó por en medio de los jugadores durante siete segundos. En cierto momento el gorila se dirigió a la cámara y la golpeó con su pecho. Cuando se les preguntó por la experiencia de mirar el video, ¡menos de la mitad de quienes lo observaron mencionaron al gorila! ¡Un buen número de los observadores estaban tan concentrados con los pases de los jugadores que ni siquiera notaron al gorila caminando por en medio de ellos! ¿Cómo es posible que algo así suceda? Esto se debe a que únicamente estamos procesando una pequeña fracción de todo el potencial de información a nuestra disposición, y dependemos en gran medida de aquello en lo cual nos enfocamos.

Muchos años después, recuerdo haber asistido al lanzamiento de un libro escrito por dos montañistas canadienses, Jamie Clarke y Alann Hobson. El libro trataba sobre los intentos y el eventual éxito de subir al Monte Everest. El libro *The Power of Passion* es mucho más que una simple historia de montañismo: es una historia sobre la vida real —sobre luchar por los sueños, la importancia del trabajo en equipo y del valor, y el equilibrio precario de la tragedia y del triunfo del espíritu humano.

Durante la presentación en Calgary, Jamie mostró secuencias en video sobre algunos de los tramos de ascenso —había ocasiones en las que él y otros en la expedición caminaban sobre lo que parecían grietas sin fondo en laderas tambaleantes con 40 libras de peso a sus espaldas. Es una de las aventuras más peligrosas y arriesgadas que he visto.

Luego de la presentación, alguien entre la multitud se detuvo y le preguntó" "¿Nunca miraste hacia abajo y pensaste, Oh Dios mío, ¿si caigo en este momento, de seguro moriré?". Nunca olvidaré la respuesta de Jamie. Contestó: "Aquel sería tu primer y último error —nunca debes mirar hacia abajo. Si hay una lección que he aprendido al escalar y en la vida, es esta: donde quiera que tú mires y enfoques tu atención, allí es EXACTAMENTE donde irás a parar. Si miras hacia abajo, eso es absolutamente peligroso. Por eso es que concentré 100% mi atención en donde estaba y en los tres pasos que había que dar hacia adelante".

Este concepto también se enseña en conducción avanzada. Si su auto se patina, usted debe concentrarse en el lugar donde desea ir —no en el obstáculo o en el muro que hay frente a usted. La forma más fácil de chocarse es apartando la vista de la dirección en la que se desea ir, y por el contrario, enfocándose en los problemas. De modo que debemos enfocarnos en el sitio al cual queremos llegar no en el lugar donde no queremos estar. Si lo hacemos, nos asombraremos de cuán lejos podemos llegar.

Cómo incorporar esta sabiduría en su vida

Si lo que usted está experimentando en la vida se ve afectado por aquello en lo cual se está enfocando, ¿por qué no cambia el enfoque de su vida? ¿Qué tipo de información está usted filtrando día a día? ¿Le fluyen fácilmente las ideas creativas y el dinero, o está usted enfocado en las cosas que no desea como por ejemplo, las facturas que se amontonan?

Haga una lista de las cinco cosas más importantes que han estado ocupando su mente últimamente. ¿Está usted enfocado en lo que quiere o se encuentra enredado pensando en lo que no quiere? Recuérdelo, conseguimos aquello en lo cual estamos concentrados. De modo que si usted no está obteniendo los resultados que desea, ESTE PRECISO INSTANTE es una buena oportunidad para cambiar el enfoque que usted tiene.

Capítulo 5

"El verdadero viaje del descubrimiento consiste no en buscar nuevos paisajes sino en tener una nueva mirada".
—Marcel Proust

Marcel Proust (1871-1922) fue un novelista, ensayista y crítico francés famoso por su obra *En busca del tiempo perdido*, una obra monumental, que trata sobre la caída de la aristocracia y el consecuente surgimiento de la clase media.

Cuando pensamos en los aspectos que pueden cambiar en nuestra vida, por lo general pensamos en los cambios físicos que podemos hacer. Por ejemplo, pensamos en cambiarnos de casa, cambiar de empleo o mudarnos a otro país. Ciertamente este tipo de cambios pueden ser refrescantes y valiosos, y pueden romper patrones de conducta y darnos un nuevo comienzo. No obstante, lo interesante de tener un nuevo comienzo es que este no permanece nuevo por mucho tiempo. La parte irritante de los cambios físicos es que usted siempre sigue siendo el mismo —dondequiera que usted va, usted es el mismo. A medida que el tiempo pasa usted se ve forzado a darse cuenta que aunque hay un nuevo trabajo o nuevos colegas o una vista completamente nueva a través de la ventana, ¡usted es exactamente el mismo!

La cita con la que inicia este capítulo me recuerda que no se requiere empacar cajas o mudarse a otro lugar. No se requiere de una hoja de vida actualizada o de referencias impecables, y ciertamente no se necesita de un pasaporte nuevo —lo que se necesita es tener el valor para ver la vida con una nueva mirada.

Hace un tiempo recordé esto cuando fui a tomar café con dos amigas mías. Para ese momento, las tres habíamos resultado redundantes en nuestro trabajo. Una de mis amigas sospechaba que el programa de redundancia era la forma conveniente en la que su empleador podía deshacerse de ella con legitimidad de forma tal que la compañía no tuviera que pagar la licencia de maternidad. Nicole había estado con la compañía, una organización deportiva muy reconocida, durante cuatro años y había dado todo de sí en su trabajo. Curiosamente, aunque el programa de redundancias era cuestionable desde la perspectiva ética y legal, ella no consideraba el asunto como el fin del mundo. Y todo ello a pesar de que ella y su esposo tenían varios compromisos —estaban en medio de la remodelación de su casa, tenían varios créditos financieros, y su primer hijo venía en camino. Sin embargo, ella parecía estar tranquila, enfocada en su salud, en su familia y en la posibilidad de iniciar su propio negocio de consultoría.

Recuerdo que me impactó su perspectiva positiva. Mi otra amiga evidentemente estaba escandalizada y aprensiva sobre la incertidumbre que la redundancia podía traernos a las tres. Su inconformismo era evidente, y a medida que la conversación avanzó su temor y su ira se hicieron palpables. Para ella la seguridad financiera y la lealtad eran valores increíblemente importantes y este incidente parecía arrebatar todo lo que ella atesoraba. Y aun cuando la conversación cambió de forma natural hacia otros temas, ella encontraba siempre la manera de regresar a la discusión sobre lo injusto de nuestras situaciones.

Una de las cosas que me sorprendieron fue que el evento mismo (el asunto de la redundancia) en sí mismo ni era bueno ni era malo. Cada una de nosotros tenía valores y puntos de vista bastante diferentes sobre la necesidad, el desafío y la excitación de tener un trabajo, así como del temor y la libertad de las nuevas posibilidades asociadas con la redundancia. Ahora bien, si el suceso era el mismo, y sin embargo, cada una lo veíamos con ojos diferentes, ¿qué era aquello que hacía la diferencia?

La diferencia radicaba en los valores que cada una teníamos sobre algunos aspectos particulares en nuestras vidas. Era evidentemente claro que nuestra experiencia del mundo ocurría a nivel interno y no a nivel externo. Aquello me hizo preguntarme… ¿Es posible cambiar las cosas a nivel interno a fin de incrementar la satisfacción y sentido de logro en la vida, de modo que no estemos constantemente a la merced del cambio impredecible en nuestro entorno? Y la respuesta ciertamente es "Sí". Nuestro conjunto de valores crea un modelo único de percepción del mundo. Los valores, esencialmente se componen de la manera como evaluamos lo bueno y lo malo, lo correcto y lo incorrecto, lo normal y lo anormal.

Una de mis amigas veía la redundancia como injusta, e indigna, y eso afectaba sus valores. La otra asumía la redundancia como injusta pero valoraba otras cosas de forma superior. Podía ver el asunto como una nueva aventura y como la oportunidad de empezar su propio negocio.

El sociólogo Morris Massey identificó los tres periodos más importantes de la vida donde desarrollamos y consolidamos nuestros valores. Durante el período de impresión (desde el nacimiento hasta los siete años), somos como esponjas, absorbemos todo y lo aceptamos como cierto, especialmente si lo que aprendemos proviene de un padre o de una figura de autoridad. Durante este período en el que son profundamente impresionables, los niños desarrollan su sentido de lo que es correcto e incorrecto, y de lo bueno y lo malo. Los valores que se aprenden en este tiempo quedan grabados profundamente y son los que resultan más difíciles de cambiar en etapas posteriores de la vida. Con frecuencia no tenemos memoria consciente de los valores aprendidos en ese momento, y por lo tanto, los aceptamos como "verdades" sin ningún cuestionamiento.

Luego, entre los ocho y los trece años, imitamos a otros (nuestros padres, parientes, profesores, superhéroes, celebridades, etc.). Se conoce a este período como modelador. En vez de aceptar las cosas ciegamente, intentamos probar con varios valores, como si de distintas piezas de ropa se tratara; esto lo hacemos para experimentar lo que se siente. Durante este período las personas que parecen ser las más experimentadas son las que más suelen influir en los jóvenes. A continuación, el período de socialización (entre los trece y los veintiún años) se caracteriza principalmente por la fuerte influencia que ejercen los jóvenes de la misma edad, los medios de comunicación y el internet. Durante este período, con frecuencia buscamos la manera de liberarnos de la etapa anterior, es decir de la etapa de socialización sobre la base de la autoridad, y nos concentramos en los modelos de personas de nuestra propia edad, quienes naturalmente se parecen más a nosotros.

De acuerdo a Massey, el 90% de nuestros valores ya están formados e integrados a la edad de 10 años y el 100% a la edad de 20. En su libro Massey pregunta: ¿Dónde estabas cuando tenías 10 años? ¿Qué estaba sucediendo a tu alrededor durante esa etapa formativa que cristalizó los valores y las creencias que has estado teniendo hasta el día de hoy? Quienes crecieron durante la época de la Gran Depresión asignan un valor y un énfasis muy diferentes al dinero y al crédito en comparación con los niños que nacieron en tiempos de prosperidad económica. Los valores difícilmente cambian (si acaso) a menos de que haya un Evento Emocional Significativo (EES) o a menos de que haya una creación artificial de un EES en el que se identifique, se trabaje y se cambie un valor específico. Un EES puede ayudarnos a reevaluar nuestros valores si logramos ver al mundo a la luz de una perspectiva completamente diferente.

Esencialmente, los valores son aquellas cosas que son importantes para nosotros y ejercen una influencia poderosa en nuestra vida. Los valores determinan la forma como nos relacionamos con otras personas, y la forma como realizamos nuestro trabajo, así como los productos que compramos, la forma como nos ganamos el dinero, nuestras convicciones religiosas, la forma como usamos el tiempo libre, el candidato por el cual votamos, etc. Nuestra vida entera es un reflejo inconsciente de los valores que tenemos.

Superficialmente todos tenemos razones por las cuales hacemos las cosas y para nosotros todo tiene sentido. Sin embargo, escondidas bajo la superficie hay un conjunto de razones enteramente diferente que son mucho más poderosas y más difíciles de articular. Estas razones, es decir, nuestros valores, constituyen la suma total de nuestras experiencias a la fecha de hoy.

¿Sabía usted...?

Existen dos categorías principales de valores —"valores hacia" y "valores en contra". Lógicamente los unos representan los valores hacia los cuales usted avanza y quiere experimentar, y los otros constituyen los valores que usted intenta evitar o en contra de los cuales quiere ir. El tipo de motivación contraria es menos confiable que el tipo de motivación hacia, porque produce resultados inconsistentes. Por ejemplo, si usted está motivado a no estar con sobrepeso, usted practicará una dieta por un tiempo hasta cuando consiga perder peso, y entonces, en ese momento, la motivación cederá, porque usted ya no estará motivado a "no tener sobrepeso". Así, usted deja de pensar en el asunto y en tres meses descubrirá que tiene sobrepeso de nuevo, en ese punto concluirá que debe iniciar de nuevo el proceso. Lo mismo puede decirse de cuando la motivación es "no ser pobre". Usted trabajará en su negocio y producirá mucho dinero. Pero una vez ya "no sea pobre", se relajará, y el negocio irá un paso atrás y usted perderá dinero, de modo que el proceso deberá iniciarse una vez más. Pero si, por otra parte, usted valora el "ser rico", lo cual representa un valor positivo hacia el cual avanzar, no tendrá resultados inconsistentes. Lo mismo aplica a si usted valora estar en buena forma física, a la salud y todas las demás cosas.

Si en su vida existe un área en la cual no esté logrando mucho, es probable que tenga bastante motivación en contra. Recuerdo que en una ocasión Larry King entrevistó a Oprah Winfrey sobre el tema de la motivación. Ella le preguntó si él se refería a su motivación para "trabajar" o para "ejercitarse". Ella comentó lo siguiente: "Sobre mi motivación para trabajar, es algo fácil —mi deseo es crear entendimiento, abundancia, amor, compasión y sentido de responsabilidad. Por otra parte, sobre la motivación para ejercitarse, ese también es un tema fácil: yo no deseo tener una cintura muy grande". Al mirar los resultados de Oprah es fácil determinar cuáles valores han tenido más poder. Durante años ella estuvo luchando con su peso fluctuante, y cuando consideramos la fuerza motivacional relativa entre los valores hacia y los valores en contra, resulta fácil entender los porqué.

La naturaleza humana es en realidad muy transparente. Simplemente no dedicamos tiempo a aquello que no consideramos importante (o de valor) para nosotros. Así que, por ejemplo, una persona con sobrepeso, puede decir que valora su salud y que está comprometida con ponerse en forma, pero si permanece con sobrepeso, entonces la evidencia sobre su jerarquía de valores en relación con su vida resulta obvia para todos los observadores.

Si bien es cierto que la persona valora su salud, es obvio por los resultados que valora otras cosas también. ¿Será que valora la facilidad, la comodidad y la espontaneidad más que la salud? Disfrutar del alimento que le gusta en el momento que desea es más importante para esa persona que su bienestar físico. Quizás el alimento represente algún tipo de conexión que sea más importante que la salud. John W. Gardner lo resumió de forma bastante clara cuando dijo, "Todos celebramos nuestros valores a través de nuestro comportamiento".

A esto es lo que se refiere la expresión conflicto de valores. Si alguna vez usted ha tenido la experiencia de querer hacer algo de forma consciente, y sin embargo, a pesar de intentarlo, no obtiene resultados, ha experimentado ese fenómeno. O si usted forza el cambio mediante el poder de la voluntad solamente, la alteración que se experimenta del fenómeno es de corta duración. La razón para esto pudiera radicar en el conflicto de valores. Lo que usted dice que desea contradice directamente lo que sus valores dictan de forma inconsciente. O lo que usted dice que desea es contrarrestado por otro tipo de valor que ejerce mayor influencia en usted.

No todos los sistemas de valores de las personas les ayudan a alcanzar sus metas y sueños. Tomemos como ejemplo, el caso del dinero —todos necesitamos dinero a fin de poder vivir. Sin embargo, cada uno de nosotros tiene una forma distinta y singular de ver el dinero en el contexto particular de su vida. A la mayoría de las personas les gustaría tener más dinero, y para algunas se convierte en una obsesión. No obstante, si usted va un poco más allá de lo superficial, es decir, del deseo consciente de tener dinero, usted encontrará que tiene toda clase de opiniones e ideas sobre el dinero que hacen virtualmente imposible alcanzar ese sueño consciente. Si, por ejemplo, usted valora la honestidad y la integridad, pero en secreto abriga la convicción de que la gente con dinero es deshonesta, y que tienen que haber vendido su alma para obtener riquezas, ¿cree usted honestamente que su mente subconsciente va a liberar su poder asombroso para hacerle rico?

El poder de la mente consciente es débil y endeble comparado con el poder de la mente subconsciente. Sus valores residen en la mente subconsciente y a menos de que estos estén alineados consistentemente con sus sueños y deseos conscientes, usted no logrará conseguir lo que se ha propuesto.

Y a menos que usted pueda develar sus valores y encontrar las reglas que los gobiernan, no podrá aplicar este conocimiento a su vida de modo que pueda ver el paisaje a través de una nueva mirada.

Como seres humanos somos el resultado de nuestros ayeres. Somos la expresión viviente de nuestros controladores internos. Nuestros valores son como nuestros "ojos" —la forma como vemos y juzgamos al mundo y a los sucesos, clasificándolos como correctos o incorrectos, buenos o malos, normales o anormales. Estos nos ayudan a crear nuestro modelo del mundo y producen los resultados que obtenemos. Pero una vez que nos hacemos conscientes de estos en los diferentes aspectos de nuestra vida, podemos cambiarlos a fin de programarnos hacia la consecución de nuestras metas y sueños.

Es posible que usted pueda cambiar de trabajo, de casa y de la gente que lo rodea miles de veces, no obstante, donde quiera que usted vaya, seguirá siendo el mismo. No obstante, si cambia su mirada, es decir, la forma como ve al mundo, podrá crear un mundo completamente nuevo sin tener que empacar una sola maleta y sin tener que decir un sólo adiós.

No siempre tenemos la posibilidad de cambiar físicamente el entorno en el que nos encontramos. Sin embargo, siempre tenemos la facultad de cambiar lo que vemos con tan sólo ajustar el enfoque de nuestros ojos y aquello en lo cual se concentra nuestra mente.

Cómo incorporar esta sabiduría en su vida

Debemos hacernos conscientes de nuestros valores en los diferentes aspectos de la vida, sea que estos nos faculten para alcanzar nuestras metas, o por el contrario, nos lo impidan. El primer paso hacia el cambio consiste en manifestar lo que realmente queremos.

PASO 1: Escoja un área en la que le gustaría mejorar:

- ☞ Profesión/trabajo/estudio
- ☞ Relaciones: sociales, personales
- ☞ Familia
- ☞ Salud/estar en forma
- ☞ Crecimiento personal
- ☞ Espiritualidad
- ☞ Otra

PASO 2: Pregúntese: "¿Qué es lo importante para mí en esta área?" (Escriba la respuesta aquí, por ejemplo, mi carrera) Inicie apuntando las palabras o frases que vengan a su mente. En este punto no es importante concentrarse en las prioridades o las preferencias, tan sólo aliste tantas palabras o frases según le sea posible. Ahora, intente hacer una lista de entre 15 y 25 valores.

ÁREA DE INTERÉS:

____

VALORES:

____

____

____

PASO 3: Antes de concretar cambios, necesitamos identificar las prioridades de los distintos valores en ese aspecto de su vida HOY. Regrese al paso 2 y enumere cada valor. Asigne una numeración de importancia (1, el más importante, 2, el segundo más importante, etc.) en la parte IZQUIERDA de cada valor basándose en los RESULTADOS que tenga HOY en este aspecto de su vida.

Recuerde, si usted desea saber qué es lo que realmente ha creído respecto a sus finanzas o sus relaciones, sólo necesita mirar el estado de su cuenta bancaria o de sus relaciones en el estado en que se encuentran hoy. Es muy importante ser muy honesto consigo mismo —este paso es vital para ayudarnos a descubrir dónde subyace la incongruencia entre nuestros valores actuales y los que verdaderamente queremos alcanzar (nuestras metas).

PASO 4: En la parte derecha de cada uno de los valores que escribió anteriormente, clasifíquelos en el orden en que le gustaría que estuvieran en su vida (1, el más importante, 2, el segundo más importante, etc.). Si tiene dificultades en determinar cuál debería ser el orden correcto, piense en alguien que usted conozca que haya sido exitoso en esta área —¿qué valoraría esta persona como lo más importante? Por ejemplo, si usted ha escogido las finanzas como su área de enfoque y no está seguro de a qué valores asignarles la prioridad más alta, imagine qué puntaje le asignarían personas como Richard Branson o Donald Trump en la escala de valores.

PASO 5: En este momento es posible que usted ya haya empezado a identificar varios factores clave en los cuales le gustaría enfocarse como resultado de este ejercicio. Los valores son mucho más poderosos e influyentes de lo que en realidad percibimos. Estos guían nuestras decisiones, establecen nuestra valía interior y al final de las cuentas afectan nuestros RESULTADOS. Las acciones siempre hablan más poderosamente que las palabras. Lo que uno dice que desea es una cosa, lo que hace al respecto es algo muy distinto. Los valores siempre se manifiestan en las acciones de las personas.

Seleccione de su lista un valor en el cual le gustaría concentrarse hoy —quizás, en el contexto de las finanzas haya identificado el conocimiento o el aprendizaje como un valor clave para usted. Sin embargo, en su clasificación de importancia (basándose en sus resultados) es posible que este valor tenga una clasificación pobre. Cierre sus ojos y cree una imagen mental de cómo se ven el conocimiento o el aprendizaje. ¿Qué ve en esa imagen, cómo se escucha, cómo se siente, qué dicen las personas a su alrededor, qué se está usted diciendo a sí mismo respecto al conocimiento o al aprendizaje? Construya una imagen mental extremadamente vibrante de forma tal que lo estimule a la acción. Ahora pregúntese: ¿Qué tres acciones puedo emprender de inmediato para demostrar mi compromiso con este valor en mi vida? Abra sus ojos y escriba tres acciones y asígneles una fecha (dentro de tres días a partir de hoy) en la que serán completadas. Comparta su visión con un amigo y pídale que le ayude a mantenerse dentro de los plazos de tiempo fijados. Las acciones a ejecutar no tienen por qué ser trascendentales. Por ejemplo, si lo que usted valora es el conocimiento o el aprendizaje, entonces podría:

1. Seleccionar un modelo como Donald Trump y comprar un libro que trate sobré la forma como él construyó su imperio.
2. Hacer algunas llamadas para entrevistar a un consejero profesional que le ayude a organizar sus finanzas.
3. Hacer un inventario detallado de su situación financiera actual y sus metas claves para el futuro.

ACCIONES REALIZADAS (escriba la fecha)

____________	____________
____________	____________
____________	____________
____________	____________
____________	____________

Capítulo 6

"Si desea poseer cierto atributo, actúe como si ya lo tuviera. Aplique la técnica del 'como si'".
—William James

William James fue un líder estadounidense en los campos de la Psicología y la Filosofía. Una de sus ideas filosóficas más reconocidas es el pragmatismo —el valor de una verdad depende del uso que le dé quien la porta. A pesar de haber fallecido en 1910, en el presente su influencia sigue siendo visible en el área de la Psicología. De igual manera, muchos de los gigantes en su vida influenciaron sus pensamiento, uno de ellos fue su padrino, Ralph Waldo Emerson.

La ciencia ha demostrado que el cerebro no distingue lo real de lo vívidamente imaginario. Si apenas experimentamos una fracción de lo que está al alcance de nuestras posibilidades en lo que respecta a los estímulos que notamos o a lo que le prestamos atención; y, de acuerdo a lo que hemos visto, aquello que valoramos, creemos y esperamos influye directamente sobre nuestras experiencias, quiere decir que al cambiar lo que ocurre en nuestra mente, podemos cambiar nuestra entera realidad.

Recuerdo la primera vez que escuché este concepto. En cierta ocasión mi ex cuñada Harwant, había presentado una entrevista y quedamos de vernos para tomarnos un café y que me contara cómo le había ido. Me contó que el entrevistador le había preguntado cuál era el lema por el que ella guiaba su vida. Harwant es una mujer muy enérgica e independiente, así que le respondió —"imitar para lograr". Me sentí absolutamente abochornada al oírla decir eso. Claro, es una de esas cosas que a veces sí le pasan a uno por la mente, pero que nunca diría en voz alta, *¡en especial durante una entrevista!* Pensé que se había vuelto loca. A mi manera de ver las cosas, con esa frase había arruinado cualquier posibilidad de que le dieran un trabajo.

Sin embargo, fue un error de mi parte llegar a esa conclusión de manera tan prematura y con el tiempo empecé a darme cuenta de lo sabias que habían sido sus palabras. De ninguna manera se refería a fingir ser alguien que uno no es —como dar a entender que uno es un artista cuando es un albañil, o contarles a otros que nos hemos ganado la lotería con la esperanza de que por habérnoslo imaginado es realidad. ¡Eso es decir mentiras y simplemente no sirve para nada! Actuar "como si" o "imitar para lograr", significa adoptar las características y rasgos de personalidad de alguien a quien usted admira o de alguien que ya ha logrado las metas que usted aspira alcanzar. En la fórmula SER x HACER = TENER, se trata de llegar a ser el tipo de persona que usted aspira ser y por lo tanto, tomar las acciones pertinentes para que, como resultado, logre alcanzar esas metas en la vida.

¿Sabía usted...?

Si le tiene miedo a las arañas, su cuerpo experimentará la misma reacción fisiológica sea que usted piense en una araña, vea una araña, o nada más oiga la palabra "araña". El resultado externo es exactamente el mismo prescindiendo de si la araña existe o no. Dicho de otra manera, sea que haya una araña venenosa sobre su hombro o que usted se imagine que la tiene ahí, su reacción física seguirá siendo la misma.

De la misma manera, si usted actúa como si tuviera confianza en sí mismo, la química de su cerebro se comporta tal y como si usted de verdad tuviera tal confianza. Por lo tanto, el cuerpo no hace distinción química o biológica entre lo imaginario, los recuerdos o las experiencias reales.

Una de las cosas maravillosas sobre las características personales o los estados emocionales, es que si usted imagina tenerlos, entonces los tendrá de inmediato. Si usted actúa como si fuera valiente, entonces será valiente. Si actúa como si tuviera confianza en sí mismo e imita a un personaje que posee esa característica, entonces llegará a tener confianza en sí mismo. Puesto que la mente no distingue un acontecimiento real de uno imaginario, ¡entonces el actuar "como si" es una solución lógica y sensata a la incertidumbre pasajera!

Si actúa como si estuviera feliz, se sorprenderá al darse cuenta de que lo está. Debido a que nuestra mente ejerce una profunda influencia sobre lo que exteriorizamos, el adoptar y hacer de los estados emocionales benéficos un hábito cotidiano es el primer paso hacia el verdadero control de su vida. Estas características o atributos personales son estados emocionales, no resultados o metas futuras, y como tales, pueden lograrse de manera inmediata. Tal como de forma acertada señala Henry David Thoreau, "No sé cómo diferenciar entre el vivir consciente y el estar soñando. ¿Acaso no vivimos siempre la vida que nos imaginamos vivir?". Todo lo que somos y hemos experimentado hasta la fecha es el resultado de lo que en nuestra mente hemos imaginado que es realidad. Si no estamos satisfechos con los resultados, nuestra experiencia puede cambiar tan rápidamente como el momento en que cambiemos nuestra forma de pensar e imaginemos una nueva realidad.

Es algo parecido al juego de roles al interpretar personajes. Todos tenemos cierto papel que interpretar en nuestra vida. Puede ser el papel de esposa, madre, compañero de trabajo, amigo o estudiante. Pero ningún papel posee parámetros específicos o definidos —es usted quien determina tales parámetros y, por lo general, lo hace basándose en las expectativas que tiene la sociedad con respecto a esos papeles.

Lo genial del concepto de interpretación de personajes es que puede usarlo para su propia ventaja si sabe cómo hacerlo. Estos papeles son como un disfraz invisible que nos ponemos y quitamos dependiendo de lo que se requiera de nosotros. Por ejemplo, algunos de nosotros hemos desarrollado muy bien el papel de "víctima". O quizás, fácilmente podamos adoptar el papel de "protector" o "luchador". Estos papeles también influyen en la manera en que nos desenvolvemos en nuestro entorno. Zig Ziglar lo resumió de manera elocuente cuando dijo: "No puedes subir por la escalera del éxito llevando puesto el disfraz del fracaso".

Como dijo Shakespeare en su obra *Como gustéis (As You Like It)*, '"El mundo entero es un escenario. Y todo hombre y mujer, sólo uno más de los personajes. Tienen sus entradas y sus salidas; y durante su vida, un hombre tiene muchos papeles que interpretar". Cada uno de nosotros puede elegir a diario qué papel va a interpretar y qué disfraz se pondrá. Muchos de nosotros interpretamos el mismo papel todos los días sin detenernos a pensar, ¿por qué? Esos papeles no son en nada inspiradores ni emocionantes y, sin embargo, los aceptamos como hechos consumados. Esto me recuerda de varias maneras al niñito que queda relegado al papel secundario de "árbol" o de "flor" en la obra teatral de la escuela elemental. Todos sabemos quién es —es el que está parado en el rincón, vestido con un disfraz ridículo, pero al que nunca le dan la oportunidad de hablar o cantar junto con los demás. Ese niñito está en el escenario con sus demás compañeros de clase, pero en realidad nunca tiene la oportunidad de sobresalir o ser el centro de atención o de interpretar el papel principal y robarse la atención y los aplausos de un público que se desviva por él.

Con el tiempo, ese niñito llega a ser un adulto, pero se acostumbra tanto a interpretar el papel secundario que no se da cuenta de la infinidad de posibilidades que tiene a su alcance —empresario de éxito, padre amoroso, orador público diestro, líder comunitario, etc. Cumple los 30 años de edad y sigue levantándose día tras día para ponerse su disfraz de "árbol" y pararse en un rincón a ver pasivamente cómo transcurre su propia vida. La obra escolar terminó hace mucho tiempo, y sin embargo, él sigue viviendo la clase de vida que de niño formó en su imaginación.

Por fortuna, nunca es tarde para crear nuevos papeles que le permitan potenciar sus capacidades y le faciliten ponerse el disfraz mental de la valentía, la determinación, el entusiasmo sin límites, o cualquier rasgo de personalidad o estado emocional que usted anhele incorporar en su vida. Yo uso esta técnica en mi propia vida casi todos los días —en especial cuando se me convoca a hablar ante grandes multitudes. En muchos sentidos soy una persona introvertida por naturaleza. Para asegurarme de transmitir mi mensaje y conectarme con el público de una manera interesante y convincente, me imagino a mí misma como alguien llena de ímpetu, confianza, valentía, energía, carisma, espontaneidad y poder.

En mi caso, la persona a la que más aspiro asemejarme y a quien más admiro es Anthony Robbins —él es la personificación de la compasión sincera, la emoción, el profesionalismo y el compromiso con la excelencia que caracterizan al más puro orador motivacional. Justo antes de entrar al escenario, literalmente me meto en los zapatos de este personaje que he creado en mi mente en torno a Tony, y me dejo inspirar y vigorizar por esos rasgos de personalidad. He estado haciendo esto por tantos años que se ha convertido en una costumbre automática —puedo sentir como mi energía, mi cuerpo y mi personalidad cambian en el instante en que mis pies tocan el escenario. Literalmente me convierto en la persona que necesito ser en ese momento para lograr lo que en circunstancias normales no haría —hablar ante un público de miles de personas. Lo he hecho ya por tanto tiempo que se ha convertido en parte de lo que ahora soy —empecé tratando de imitar serlo, y ahora en verdad he llegado a ser el tipo de persona que había formado en mi imaginación.

Hace varios años tomé una decisión importante que cambió mi vida —decidí que preferiría ponerme un par de anteojos estrambóticos de "color rosa" que me hicieran sentir respaldo y potencia, más bien que unos anteojos prescritos que fueran "realistas", pero que me impidieran ver y vivir mis sueños. Cada día que despertamos, todos tenemos la oportunidad de elegir qué anteojos, vestimenta o uniforme nos vamos a poner. La elección siempre ha estado en sus manos y las posibilidades son infinitas. Hoy es un día nuevo —usted puede elegir personificar las características y atributos que le permitan potenciar sus capacidades y lo acerquen más a sus metas, o puede elegir una forma de pensar negativa y pesimista. Su mente no puede distinguir entre la realidad y lo vívidamente imaginario, así que, ¿por qué no elegir algo que enriquezca su vida y haga de ella algo más feliz y gratificante?

Es hora de tirar a un lado su disfraz de "árbol"... ya no lo va a necesitar más. Ahora mismo puede llegar a ser lo que usted se imagine. ¡Imitar hasta lograr! Créame, no tardará en hacerse realidad.

Cómo incorporar esta sabiduría en su vida

Haga una lista de diez personajes que usted admira y las razones por las que siente tal admiración. Escriba todas las características y rasgos de personalidad específicos de esa persona que a usted le encantaría tener.

Digamos que a usted le encantaría sentir más confianza en sí mismo, y en su lista haya puesto a Oprah Winfrey por ser ella una persona de firmeza en sus opiniones y por su capacidad para motivar a otros. La próxima vez que se encuentre en una situación que requiera confianza en sí mismo, deténgase por un momento y pregúntese, ¿Qué haría Oprah en este momento? Hacer la transición a ese tipo de perspectiva le permitirá ponerse ese disfraz de confianza en sí mismo y actuar como si ya usted gozara de tal atributo. Recuerde que el cerebro no distingue entre una experiencia real y una imaginaria —en otras palabras, si actúa "como si", usted logrará personificar esas características en la vida real.

También podría imaginarse e inventar ciertos papeles que pudiera interpretar cuando los necesite (como si fueran un disfraz). Como si se tratara del traje o la capa mágica de un superhéroe, en su imaginación podría convertirse en el personaje "Reina de la convicción", o "El ejecutor". ¡Encuéntrele el lado divertido a esto, y asuma el papel del superhéroe que ha inventado en esas ocasiones en que necesite reforzar su actitud mental!

Capítulo 7

"¡Tienes que salirte de tu cabeza, ella no es un buen vecindario!"
—Jeff Poule

Jeff Poule nació y se crió en Corner Brook, Terranova, y desde 1981 ha ejercido la jurisprudencia en la provincia de Alberta. Es uno de los hombres más honestos que he tenido el privilegio de conocer y es uno de los que se toma muy en serio su papel, responsabilidad y juramento solemne de servir y proteger a la comunidad. Llegué a formar parte de su clientela en el 2000 y mi vida cambió para siempre, no tanto por la ayuda que me prestó como abogado, sino por lo que me enseñó acerca de la vida y el vivir.

Cierto día de octubre mientras estaba en la oficina de Jeff revisando un montón de documentos legales y lidiando con una multitud de problemas, empecé a lamentarme por lo trágica que era mi situación personal y por las dudas que tenía en cuanto a si sería capaz de enfrentarme a la situación y si lograría recuperarme. Inclinándose hacia mí y de una manera muy categórica que sólo alguien como él puede afirmar con toda naturalidad, Jeff me dijo: "Tienes que salirte de tu cabeza Rhondalynn, ella no es un buen vecindario".

Creo que jamás he oído palabras más ciertas. Además de no enojarme por el hecho de que era obvio que él dijo esto con buen humor, empecé a reírme a carcajadas y me di cuenta en ese instante de que podría cambiar mi mundo con sólo cambiar mi forma de pensar y de ver las cosas.

La verdad es que a veces nos enredamos tanto en un ciclo mental de negativismo, al que no le encontramos la salida, que no logramos ver las cosas desde otra perspectiva a fin de encontrar alivio a la preocupación. ¡Es como estar atrapado en un cuarto oscuro que no tiene ventanas ni puertas! No parece haber dirección ni opciones, y es como si todo rastro de esperanza se hubiera desvanecido.

En ocasiones, todos pasamos por un mal día, y sin importar los consejos o las dosis de autoayuda que recibamos nada va a cambiar la situación. Eso hace parte de la naturaleza del ser humano. Esos bajones tienen que existir, de lo contrario no llegaríamos a apreciar los momentos en que las cosas van bien. Pasar por momentos buenos y malos es parte de la vida diaria. Sin embargo, no es cierto que el quedarse estancado en un mal estado emocional haga parte de la vida. Eso no sería más que existir, ¿qué clase de vida puede ser esa? Hay que reconocer el entorno en que uno se encuentra y hacer algo al respecto. Así como en toda ciudad hay vecindarios ricos y pobres, en su mente también hay lugares que se asemejan a comunidades de clase alta y otros que se parecen más a barrios marginales. Cuando uno está consciente de este hecho y puede reconocer en qué parte se encuentra, ¡nunca va a permanecer demasiado tiempo en una de las partes peligrosas de la ciudad!

Yo tardé varios años para encontrar las respuestas. Estaba desesperada por encontrar esa panacea que en un abrir y cerrar de ojos lo aclarara todo. Quería sentir otra vez, pero sin experimentar el dolor. Pero honradamente puedo decir que no existe tal panacea, no hay ningún "secreto" fuera de la asombrosa área ubicada entre las orejas —la mente.

Mi abogado hizo una observación acerca de mi estado mental que podría haberse interpretado como un comentario petulante y desconsiderado; pero yo sé que lo hizo con buenas intenciones y, sobretodo, con buen sentido del humor. Él quería que recuperara la esperanza —aunque fuera sólo por un segundo. Y así fue. Por primera vez, pude darme cuenta de que las cosas no siempre iban a estar así de mal. Y fue un primer paso importante hacia la recuperación de mi equilibrio emocional.

Nada es permanente. Cambiar nuestra percepción puede cambiarlo todo de manera radical —hasta las cosas que parecen ser inmutables. La vida es un ciclo de estaciones, al final de cada una comienza algo nuevo, hay un renacer.

Cuando Jeff me dijo que me saliera de mi cabeza, su terminología me hizo reír. El humor es una manera brillante de cambiar el patrón de pensamiento de alguien y así mejorar su estado mental. La idea de que el humor pueda afectar al cuerpo internamente de manera que este fomente su propia recuperación está ganando acogida en algunos científicos pertenecientes al campo de la psiconeuroinmunología, que consiste en el estudio de la conexión e interacción entre el cerebro y el aparato defensor contra las enfermedades que atacan al cuerpo, el sistema inmunológico.

Pero no es una idea nueva. Hay pruebas que se remontan hasta la época de los antiguos griegos que demuestran que el contentamiento puede influir de manera provechosa en el proceso curativo. A los griegos se les conoce por haber construido sus hospitales junto a los estadios para que así los pacientes pudieran beneficiarse del entretenimiento que se ofrecía en estos lugares.

¿Sabía usted…?

¿Alguna vez vio la película Patch Adams? ¿Sabía que Hunter "Patch" Adams fue un personaje de la vida real? Él inició su carrera en la Escuela de Medicina sin haberse graduado de la universidad y obtuvo su título de doctor en Medicina en 1973 de parte del Colegio Médico de Virginia, el cual hace parte de la Universidad Estatal de Virginia. Durante sus estudios, le perturbaba la Medicina que practicaban los "hombres de bata blanca" quienes trataban la enfermedad, pero no a las personas, y que con frecuencia mostraban poca compasión por sus pacientes —de quienes los doctores hablaban como si no existieran y en el aspecto emocional se mantenían alejados tanto del paciente como del proceso curativo.

Patch consideraba que esto era un error y junto con otros compañeros estudiantes de Medicina formaron el Instituto Gesundheit, el cual funcionó como un hospital de atención gratuita durante 12 años. Hoy en día sigue funcionando y con gran ímpetu. Allí se enfatiza la conexión que hay entre el medio ambiente, la actitud positiva y el proceso curativo. Tal como muchos de sus predecesores, Patch Adams estaba profundamente convencido de que la risa contribuye al proceso curativo corporal.

Durante una situación estresante o dolorosa, el cuerpo aumenta la producción de las hormonas del estrés, tales como el cortisol y la epinefrina. Estas hormonas hacen subir la presión arterial y aceleran el ritmo cardiaco. Estudios científicos han demostrado que el estrés también puede afectar al sistema inmunológico y debilitar las defensas del cuerpo, por lo cual, la persona se hace aún más vulnerable a las enfermedades. Por fortuna, hay nuevos estudios que indican que el buen humor causa el efecto contrario.

Un estudio japonés publicado hace varios años en la revista de la Asociación Médica Americana, encontró que los pacientes que tenían ronchas en la piel causadas por una alergia, experimentaron una reducción dramática de síntomas luego de haber visto el clásico humorístico de Charlie Chaplin, *Tiempos modernos* Otro estudio realizado en los Estados Unidos por investigadores de Maryland, informó que las personas con un corazón saludable eran más dadas a reírse de situaciones cómicas que los que sufrían de enfermedad cardiaca. Por supuesto, quienes sufren de enfermedad cardiaca tal vez no sientan muchas ganas de reírse. Sin embargo, entre más y más se investiga el asunto, cada vez hay mayores pruebas de que un buen sentido del humor mejora la salud.

Es probable que usted mismo lo haya experimentado alguna vez. Quizás le haya sucedido que estuvo muy enojado en algún momento y alguien hizo algo que le hizo reventarse de la risa. Toda esa ira se desvaneció en un instante. Liberar esa emoción que podría llegar a ser tóxica resulta provechoso para el cuerpo.

Sin duda, en las décadas entrantes la investigación científica probará la influencia que tiene la mente sobre el cuerpo. Norman Cousin y Bernie Siegel han estado al frente de estudios que demuestran la importancia de la actitud positiva en el tratamiento y la recuperación del paciente.

En 1979 Norman Cousins fijó las bases de este concepto en su libro de vanguardia titulado *Anatomía de una enfermedad desde la perspectiva del paciente*. En este libro, él describió cómo la risa le ayudó a reducir el dolor causado por una debilitante enfermedad de las articulaciones llamada espondilitis anquilosante. Aunque Cousins murió en 1990, su aporte a esta área del conocimiento es significativo y constituye el legado asombroso de un hombre brillante e inspirador.

Las grandes compañías farmacéuticas no han aportado fondos a este tipo de investigación —por obvias razones. Si se descubriera que "una buena carcajada al día, del médico te libraría", ¿qué harían con todo el Prozac que se produce?

Cómo incorporar esta sabiduría en su vida

Haga una lista de diez personajes que usted admira y las razones por las que siente tal admiración. Una de las maneras más fáciles de cambiar su forma de pensar, ¡es cambiar su fisiología! Si se da cuenta que está en un mal estado emocional —¡sálgase de ese vecindario!

Eso quiere decir, cambie su posición corporal —póngase de pie si estaba sentado, salga a caminar, vaya a nadar— haga algo. Debido a que el cuerpo libera endorfinas como resultado del ejercicio físico, esto le permitirá cambiar su patrón emocional con sólo ponerse en movimiento. Hay experimentos que han demostrado que es imposible deprimirnos si mantenemos una postura recta, llevamos la cabeza erguida, respiramos profundo desde la parte baja del abdomen y sonreímos. Inténtelo en este momento. Párese derecho, mantenga la cabeza erguida, respire profundo y sonría hasta que le duelan los músculos de la cara. Mejor aún, imagínese algo cómico y ríase a carcajadas como nunca lo había hecho antes. ¿No es verdad que de inmediato empieza a sentirse diferente?

Escuchar música reconfortante también puede ser una manera de salirse de un estado mental negativo. El sonido y la música tienen un efecto profundo en nuestra percepción del mundo. Aun bajo anestesia total, el oído es uno de los últimos sentidos que deja de funcionar. La música es una expresión de nuestras emociones humanas —puede activar estados emocionales y recuerdos que se habían olvidado. El efecto del sonido es tan profundo que hasta los sonidos que pensamos que no se pueden percibir, han demostrado que producen estados mentales y comportamientos drásticamente diferentes en individuos y grupos.

Cuando piensa en el tema musical de la película Rocky, protagonizada por Sylvester Stallone, ¿qué imágenes le vienen a la mente y cómo lo hacen sentir? ¿Cómo difieren esas sensaciones de las que producen los temas musicales de las películas Tiburón, Titanic, Kill Bill o Austin Powers? La próxima vez que se sienta triste o enojado, haga sonar su canción favorita en su MP3 o en su equipo de sonido y le va a sorprender la rapidez con que cambiará de manera radical su estado de ánimo.

Capítulo 8

**"Hay que jugar las cartas que nos repartió la vida.
Creo que vale la pena entrar en las apuestas".
—Christopher Reeve**

Christopher Reeve fue un actor a quien se le conoce principalmente por su papel como Superman. Sus aportes al cine y al entretenimiento resultan insignificantes en comparación con su contribución después de sufrir un accidente ecuestre que lo dejó paralítico. Por todo el mundo hizo campañas en pro de los pacientes con lesiones de la columna vertebral y abiertamente se manifestó en favor de la investigación con células madre, en lo que podría estar la solución a las lesiones de la columna vertebral. Aunque es cierto que la vida le repartió un juego de cartas lleno de aflicción, jugó con dignidad y determinación hasta el momento de su muerte en el 2004.

La vida no siempre es fácil —no cabe la menor duda al respecto. Es impredecible y muchas veces es difícil encontrarle lógica a lo que pasa. Algunos de los sucesos que acompañan nuestro recorrido resultan ser apenas pequeñas molestias, mientras que otros los sentimos como si nos hubiera embestido un camión de carga a 200 km/h.

Sea como sea —tenemos que jugar las cartas que nos repartió la vida.

Parte del proceso de superar cualquier cosa que suceda en el camino consiste en encontrar una forma de hallarle sentido a todo lo ocurrido. Si la ciencia afirma que la realidad objetiva en verdad no existe, queda muy en nuestras manos crearnos una realidad que nos ayude a avanzar y encontrar un significado. Como muy acertadamente afirma W. Mitchell: "Lo importante no es lo que nos pase, sino lo que hagamos al respecto".

Me gusta pensar en esto como si se tratara de "convertir mierda de pollo en sopa de pollo". Y casi siempre, durante esos momentos de desesperación o angustia es que alcanzamos nuestros mayores logros. Jugamos las cartas que nos repartió la vida y al hacerlo rebasamos las restrictivas fronteras de la probabilidad y la destreza, y nos adentramos en un mundo de posibilidad e inspiración.

A Christopher Reeve un fortuito accidente ecuestre le cambió la vida. Todo lo que él era en términos de su carrera y la percepción que los demás tenían de él, desapareció en el instante en que cayó a tierra. Aún así, logró armarse de valor y tomar el control de su propia mente de manera que pudiera encontrar una razón para seguir adelante. Con toda seguridad, quedar paralítico no estaba dentro de sus planes. Estoy segura que en ocasiones se sintió airado y amargado, pero obviamente no se dejó consumir por tales sentimientos.

La sencilla verdad es que Christopher Reeve quedó confinado a una silla de ruedas a la edad de apenas 43 años. No había nada que pudiera cambiar ese hecho. No había forma de devolver las manecillas del reloj ni de reparar el daño. Su condición física era permanente. Pero su estado mental y cualquier emoción negativa que sintiera eran temporales y estaban 100% bajo su control. Tenía dos opciones: (1) dejar que lo ocurrido consumiera su vida y extinguiera su espíritu o (2) aceptar su condición y sacarle el mayor provecho a su tiempo e influencia para fomentar el avance de la ciencia con la esperanza de que algún día otras personas con lesiones de la columna vertebral pudieran caminar de nuevo. Aunque en sus películas interpretó el papel de superhombre, el verdadero superhéroe emergió después de su accidente, pues creó una visión y un propósito superiores al suceso que cambió su vida.

Aceptó las cartas que le repartió la vida y las jugó con la valentía, la determinación y la fortaleza de carácter propias de un superhéroe. Tal vez él lo haya dicho mejor: "*Creo que un héroe es aquella persona común y corriente que halla la fuerza para perseverar y aguantar a pesar de obstáculos abrumadores. Ellos son los verdaderos héroes, e igualmente lo son los amigos y familiares que les han brindado su apoyo*".

Tal vez sea el momento de hacer una pausa y halagar al superhéroe que yace en nuestro interior y en el de otros. Para mí, el más grande de todos mis superhéroes fue mi abuelo...

Él y mi abuela tuvieron cuatro hermosos hijos —tres de los cuales murieron antes que ellos. Su primera hija, Mavis Annette, murió de cáncer a los seis años de edad. Donald, el hermano gemelo de mi tío, murió en el hospital sólo unos pocos días después debido a una infección. Y mi madre murió de manera repentina a la edad de sólo 43 años. Si conocieran a mis abuelos, nunca se imaginarían las tragedias que soportaron —eran increíblemente cariñosos, positivos, sinceros y comprensivos. Muy rara vez se quejaban de las cartas que les había repartido la vida —su amor y compromiso mutuo y por la familia eran innegables, y tenían una creencia firme e inquebrantable en Dios que les ayudó a soportar muchas dificultades.

De niña no comprendí a cabalidad cuán asombrosos fueron —ambos habían sufrido tanto, pero aun así, encontraron la manera de salir adelante y sacarle el mayor provecho a lo que tenían a su alcance. Como alguien que ha pasado por sus propias pruebas y tribulaciones, todavía me sorprende la fortaleza de mis abuelos, su fe, su tenacidad y su amor. No puedo ni imaginarme lo que sería perder a un hijo —muy seguramente tiene que ser una de las cosas más difíciles que alguien tenga que soportar.

Satchel Paige nos animó una vez a "Trabajar como si no necesitáramos el dinero, amar como si nunca hubiéramos sufrido una desilusión, y bailar como si nadie nos estuviera viendo". Mis abuelos perdieron a tres de sus hijos y aun así hallaron la manera de amar como si nunca hubieran sufrido una desilusión. ¡Es algo tan admirable!

Pero miremos también la otra cara de la moneda. Hay personas a quienes la vida les ha otorgado todas las comodidades y privilegios que puede haber y, aun así, han encontrado la manera de convertir sus vidas en un completo desastre. Personas que han recibido el cariño y apoyo de su amorosa familia y se las han arreglado para "convertir sopa de pollo en mierda de pollo". Fíjese no más en esas chicas superfluas de Hollywood que cargan a su perrito entre una cartera Gucci, que tienen el dinero, el poder y los contactos que les permitirían hacer un aporte importante al mundo, pero en lugar de eso, prefieren irse de fiesta y de compras.

Los sucesos no significan nada, las cartas que la vida reparte no son un pasadizo al nirvana, la manera en que juegue sus cartas es lo que importa. Mis abuelos me enseñaron esa lección.

Los años desgastaron física y emocionalmente en especial a mi abuelo, pero sin importar lo que tuvo que aguantar siguió siendo un hombre increíblemente tierno y fuerte en espíritu. Trabajaba duro, pero su familia siempre estaba en primer lugar. No recuerdo siquiera una ocasión en la que estuviera demasiado ocupado para escucharme o ayudarme. Se interesaba con sinceridad en todo lo que yo hacía y no recuerdo ni una vez en que se haya salido de casillas o en que lo haya oído gritar. Su paciencia, apoyo y ánimo eran inagotables.

Uno de mis mayores remordimientos fue no haberlo visitado más a menudo durante los últimos días de su vida. A él le encantaba contar experiencias de cuando había trabajado en una fábrica en Montreal durante la guerra y del tiempo en que trabajó para los Ferrocarriles del Pacífico en Canadá. Durante los últimos años de su vida, los sucesos de hacía 50 años eran más reales y vívidos para él que las cosas que habían pasado apenas unos pocos días antes.

Había vivido una vida plena, pero que estuvo cargada de increíbles luchas y angustias. Él sintió y vivió más angustias de las que le desearía a mi peor enemigo. Al final su corazón ya estaba muy débil, y los cientos de pequeños derrames cerebrales que le habían robado sus recuerdos y la capacidad de valerse por sí mismo, finalmente le pasaron factura. Aunque sabía que no era la actitud correcta, me parecía insoportable tener que verlo así. Yo quería que él fuera el mismo hombre de cuando yo era joven. Quería que siguiera siendo la persona a quien podía acudir por refugio, amor y protección. Quería que fuera el que me abrazaba con ternura y me aseguraba que todo iba a salir bien. Pero cuando fui yo la que tuvo que interpretar el papel de protectora, me sentí tan sola, tan desorientada y tan incapaz.

Tengo que admitir que han habido muchas ocasiones en mi vida en las que me he sentido abrumada, derrotada o simplemente he sentido lástima por mí misma. Es fácil enfocarse en lo que no se tiene o que no ha salido bien —perder de vista los dones y los tesoros que están a nuestro alcance.

En más de una ocasión he mirado las cartas que la vida me ha repartido y no he querido hacer otra cosa más que rendirme —quedarme con lo que ya he ganado, admitir la derrota y retirarme. Lo que me ayuda a seguir adelante el es recuerdo de mi abuelo y su increíble vida de aporte, compromiso, amor y logro, a pesar de tener que enfrentarse a imponentes desafíos. Por ejemplo, él me enseñó a creer que puedo ser o hacer cualquier cosa, sin importar qué cartas me haya repartido la vida. Casi todo lo que soy o llegaré a ser, se lo debo al hombre más extraordinario que haya conocido y al único hombre en quien he confiado en toda mi vida —mi abuelo— Nicholas Kutinsky.

¿Sabía usted…?

El viernes 13 de octubre de 1972, el vuelo 571 de la fuerza aérea uruguaya, con 45 personas a bordo, se estrelló en la cordillera de los Andes. Entre sus pasajeros estaban los integrantes del equipo de rugby "Old Christians" del Colegio uruguayo Stella Maris de Montevideo, quienes viajaban a la ciudad de Santiago, Chile, para participar en un encuentro deportivo. Sin embargo, nunca jugaron ese partido. Más bien, cayeron vertiginosamente en una pesadilla.

Doce personas perecieron al instante y otras tres murieron en el transcurso de esa misma noche. Otras tantas estaban desaparecidas. Los pasajeros que sobrevivieron enfrentaban terribles condiciones; muchos habían sufrido heridas a causa del choque, algunos con fracturas de pierna. No contaban con equipo, ropa adecuada ni provisiones que les permitieran soportar un choque a tales alturas. Después de 11 días en la cordillera, los sobrevivientes se sintieron devastados al oír un reporte en la radio (un aparato de radio que habían encontrado entre los restos del accidente), en el que se informaba que la búsqueda había sido cancelada. Pierce Paul Read, uno de los sobrevivientes, describió así la escena: "Cuando oyeron la noticia, los que se habían amontonado alrededor [de la radio], empezaron a sollozar y a rezar, todos excepto Parrado, quien observaba de manera calmada las montañas que se elevaban hacia el oeste. Gustavo Nicolich [Coco] salió del avión, y al ver sus rostros, dedujo lo que habían oído… Nicolich trepó por entre el hueco del muro formado por maletas y camisas de rugby, se agachó a la entrada del oscuro túnel, y mirando a los rostros tristes que habían volteado a verlo, dijo: "¡Hey muchachos, hay unas buenas noticias! Acabamos de oírlas en la radio. Han cancelado la búsqueda". Había silencio dentro del abarrotado fuselaje. Lloraban al sentirse acorralados por la angustia de su dilema. "¿Por qué diablos piensa que eso una buena noticia?", le gritó airado Páez a Nicolich. "Porque eso quiere decir", dijo Nicolich, "que vamos a salir de aquí por nuestros propios medios".

No había comida ni vegetación natural; en su desesperación hasta trataron de comerse el cuero de sus zapatos. Se enfrentaban a una muerte segura a menos que pudieran hacer lo inconcebible… Al final, pudieron sobrevivir al decidirse, por común acuerdo, que se alimentarían con la carne de los cuerpos de sus camaradas ya fallecidos. Una decisión atroz, sin duda algo todavía más difícil debido a sus arraigadas creencias religiosas. Una avalancha segó la vida de otros ocho que habían sobrevivido al choque. Finalmente, un grupo pequeño salió en busca de ayuda. Después de una terrible odisea de 72 días en la cordillera, los sobrevivientes fueron rescatados por aire el 23 de diciembre de 1972. La vida les repartió una cruel y complicada mano de cartas, y aún así, las jugaron de la mejor forma posible y 16 de ellos lograron sobrevivir para contar la historia.

Cómo incorporar esta sabiduría en su vida

Hágase un autoanálisis DOFA (fortalezas, oportunidades, debilidades y amenazas) para que pueda aclarar qué cartas tiene. Reflexione sobre los altibajos que ha enfrentado en su vida y escriba cuáles son sus puntos más fuertes. Piense en aspectos que incluyan destrezas, capacidades, actitud, rasgos de personalidad, parientes y amigos. Escriba todas las cosas positivas de su vida. Luego, escriba cuáles son sus debilidades. Tome nota de las cosas que potencialmente pueden, o podrían, convertirse en impedimentos. Pero recuerde que, a menudo, nuestras debilidades no son más que la otra cara de la moneda. Por ejemplo, ser una persona dedicada y trabajadora es un punto fuerte, sin embargo, también es un punto débil cuando se usa para evitar las relaciones estrechas o aislarse de la familia y los amigos. Una fortaleza también puede ser una flaqueza si no se ejerce equilibrio.

El conocer cuáles son sus fortalezas y sus debilidades lo capacitará para evaluar las oportunidades y amenazas que estas representan en su vida. Tener esto bien en claro le dará la oportunidad de sacarle el mayor provecho a las cartas que la vida le ha repartido en lugar de estar soñando con un juego distinto.

Capítulo 9

"Me gustan las coincidencias. Me hacen pensar en el destino y en si la libertad de elección es una ilusión o una cuestión de punto de vista. Me permiten especular acerca de la idea de un cierto plan maestro que, de cuando en cuando, se nos permite mirar de reojo".

—Chuck Sigars

Chuck Sigars es un escritor independiente y es el autor de *El mundo según Chuck*. Él también escribe un artículo semanal que aparece en periódicos de baja tirada del estado de Washington, y que se titula *El mundo de Chuck*.

A menudo me ha fascinado la casualidad y su significado, así que cuando leí esta cita, sonreí porque en ella se engloba de manera maravillosa la intriga y el misterio que hay tras la casualidad. Estoy convencida de que nada ocurre fortuitamente. Si le doy un vistazo a mi vida, puedo darme cuenta de que estas supuestas coincidencias ocurridas al azar, muy a menudo me han guiado hacia algún tipo de conexión profunda o a un principio guiador en mi propia travesía.

El hermano de mi mejor amiga, Tabatha, fue asesinado justo una semana después de la muerte de mi madre. Esto ocurrió en mi ciudad natal, que está ubicada en un área rural de Canadá. Sus muertes no tuvieron ninguna relación entre sí, sin embargo, ambas estábamos sufriendo la misma horrible pena. Aunque lo que al mismo tiempo nos pasó a ambas no fue algo que le desearía a mi peor enemigo, de una manera extraña este suceso nos dio la oportunidad de apoyarnos mutuamente durante una época terrible y, entretanto, apegarnos más la una a la otra. Había un acuerdo tácito entre nosotras —una conexión, entendimiento profundo y empatía que no habría existido de no ser por estos acontecimientos. Muchos no podían encontrar palabras con las cuales expresar su interés y apoyo, pero Tabatha no tenía que preocuparse por hacerlo. Ella entendía mi dolor —esa sensación de impotencia y desesperación— y con gentileza y naturalidad, me cargó en sus brazos cuando yo sentía que ya no podía dar un paso más. Espero haber hecho lo mismo por ella.

En el caso de Tabatha, la muerte de su hermano fue la motivación que la impulsó a regresar a la universidad para terminar su carrera de negocios. Para ese tiempo, yo estaba envuelta en una relación malsana con un hombre con el que no se podía contar para nada, y ella me ayudó a ponerle punto final a esa situación. Ella reinició sus estudios en septiembre de ese año y vivimos juntas durante casi ocho meses. Haber contado con su apoyo marcó una gran diferencia en mí —en especial durante mi pasantía jurídica durante la que atendí tantos juicios penales y cuando estaba mal de salud debido a una depresión severa, insomnio y haber bajado extremadamente de peso. Ella fue la única persona con quien podía contar y la que podía entender completamente cómo me sentía. Éramos buenas amigas aún antes de que esto sucediera, y pasar por esto hizo de nuestra amistad un vínculo todavía más fuerte. La considero a ella y a su familia como mi propia familia, y no hay nada que yo no haría por ella.

Muchos años después, volví a experimentar esta misma situación peculiar de manera profunda. Mientras me hallaba en una conferencia internacional femenina en Washington, D.C., como representante de mi empresa, conocí a una mujer que tenía una compañía de cosméticos en Australia. Se había sentado justo en frente mío —si no hubiera sido por la sugerencia del orador de levantarnos y presentarnos con las demás mujeres a nuestro alrededor, tal vez no nos habríamos conocido. Después de eso, continuamos en contacto por varios meses mediante el correo electrónico y con el tiempo, en el año 2005, me ofrecieron trabajar para su compañía en Melbourne, Australia.

Aquello me dio la oportunidad de empezar de nuevo aquí en Australia. Aterricé en Melbourne con dos maletas llenas de cosas y apenas conocía a una persona. Y nunca he mirado atrás —absolutamente todo encajó en su lugar— el trabajo, los amigos, etc. De hecho, sólo me tardé 9 días en tomar la decisión y mudarme a Australia. Fue una de las determinaciones más importantes y más rápidas que he tomado en mi vida. Me sentí asustada e insegura, pero de todas formas lo hice. Lo interesante es que todo esto ocurrió teniendo de fondo mi ruptura matrimonial luego de 7 años de casada, junto con el hundimiento de mi empresa debido a no haber podido conseguir financiamiento externo. Para entonces, el árbol proverbial en el que yo estaba, se encontraba en llamas, y esta reunión en Washington, D.C. fue una oportunidad para arrimarme a un árbol frondoso, ¡aunque a 20.000 kilómetros de distancia!

No tengo idea de cuáles son las probabilidades numéricas de que estas cosas hayan sucedido así. ¿Serán superiores o inferiores a sacarse la mano ganadora en la primera vuelta de un juego de póquer, a toparse con un amigo que no veíamos hace 25 años, o a ganarse la lotería por un millón de dólares? ¿Tal vez ni siquiera sea eso lo que debería preguntarme? Sin embargo, de lo que sí estoy segura, es que cuando uno vive teniendo en cuenta y valorando las "coincidencias", y se deja llevar por la guía y el apoyo divino que estas conllevan, se conecta a una fuente de energía, dirección y propósito que es mágica en verdad, y que nos cambia la vida.

¿Sabía usted...?

En su libro *Sincronicidad*: el puente entre la materia y la mente, el doctor F. David Peat, un físico que trabajaba para la universidad canadiense Queen's University, afirmó que las coincidencias son "defectos en la textura de la realidad". El creía que estos sucesos, considerados tan inusuales y tan importantes psicológicamente como para no incluirlos en la categoría de la casualidad, revelaban que nuestros procesos del pensamiento están conectados de manera mucho más estrecha al mundo físico de lo que antes se pensaba.

Otro fervoroso creyente en el concepto de las coincidencias y el poder que estas tienen para guiarnos, es el doctor Deepak Chopra. En su libro *Sincrodestino*: aprovechar el poder infinito de la coincidencia para crear milagros, él dice que "Una coincidencia es un indicio de la dirección en la que nos quiere guiar el espíritu del universo y como tal, es de gran importancia". La coincidencia es la manera en la que el universo nos guía hacia nuestro destino mediante "una conexión casual externa", es decir, sucesos que están conectados mutuamente sin tener una relación directa de causa y efecto. Chopra sigue diciendo: "No podemos si quiera imaginarnos la complejidad de las fuerzas que intervienen tras cada suceso que ocurre en nuestras vidas. Existe una confabulación de coincidencias que entretejen la red del karma o destino y que forjan la vida personal de un individuo —la mía, o la suya".

Estamos rodeados de coincidencias —algunas son triviales, mientras que otras tienen su manera de captar nuestra atención y causarnos intriga. Prescindiendo de la importancia de su significado, lo que sí tienen en común estos sucesos es nuestro intenso deseo humano de encontrarles una explicación o atribuirles una conexión. Con frecuencia, la naturaleza ilusoria de este proceso sólo sirve para intensificar nuestra necesidad y deseo de lograrlo. Entre más oculto esté su significado y conexión, mayor será nuestro esfuerzo por descubrirlo.

A veces estamos tan empeñados en forjarnos nuestro propio destino que ignoramos esas pequeñas señales y empujoncitos que nos guían en una dirección distinta. Cuando sí les damos importancia, tratamos con toda sinceridad de analizarlas a un grado excesivo y de imponerles un significado, y al hacer esto, pasamos por alto la razón por la cual este suceso accidental, fruto de la casualidad, llegó a ocurrir. Sinceramente, creo que las coincidencias son la manera en que el universo nos guía hacia cosas, sucesos, gente y situaciones que nos pueden ayudar a cumplir nuestro destino en la vida y a vivir con un propósito. El significado o la conexión no es la parte más importante —más bien, se trata de estar conscientes y dispuestos a seguir la guía y la ayuda del universo y tener una confianza interna aún más profunda de que todas nuestras necesidades serán colmadas. Si usted puede dejar a un lado esa necesidad de saber el porqué de todas las cosas y más bien se deja llevar por la corriente, su travesía por la vida podría llegar a ser algo mágico y placentero.

Cómo incorporar esta sabiduría en su vida

En lugar de menospreciar las coincidencias y verlas como simples resultados del azar, tómelas en cuenta. Imagínese, por un momento, que tales sucesos que supuestamente son producto del azar, son, de hecho, empujoncitos guiadores hacia una dirección en particular —¿hacia dónde lo estarían guiando? Quizás escuche repetidas veces, y en una variedad de circunstancias extrañas, el nombre de una persona que conoció en el pasado. ¿Pudiera significar eso que debería comunicarse con esa persona? Quizás le llame la atención cierto curso en particular, y de repente se encuentra con extraños que empiezan a hablar acerca de cuando ellos tomaron precisamente ese mismo curso. Empiece a prestar atención a las personas y las ideas que se le crucen en el camino.

Si se da cuenta que constantemente está luchando contra la corriente y le parece que siempre tiene que forzar las cosas para alcanzar sus metas, tal vez la razón por la que todo es tan difícil es que ese no es su sendero en la vida. Saque tiempo para pensar y encontrar la conexión entre sus sueños y aspiraciones. Empiece a prestar atención a las señales que lo están alejando o acercando a sus metas —tal vez empiece a descubrir los indicios y el rumbo hacia algo mucho más satisfactorio que cambie su vida por completo. Lleve un diario y tome nota de las palabras, las frases, la gente, los sucesos, los sueños y las cosas que en su vida parecen ser fruto de la casualidad. Empiece a llevar cuenta de temas que se repiten —la meta no es hacer una evaluación, sino percibir su significado.

Con frecuencia, las coincidencias se presentan para recordarnos cuál es nuestro papel en el desenvolvimiento de los sucesos. Por ejemplo, puede que a usted no le caiga bien su jefe y por eso decida buscar un nuevo trabajo. Pocos meses después de estar en el nuevo empleo usted queda atónito al ver que su nuevo jefe es tal como el anterior, ¡pero todavía más exasperante! Tal vez piense que fue cuestión de mala suerte y vuelva a cambiar de empleo. Pero en el tercer trabajo, se repite exactamente a la misma situación.

Este tipo de coincidencia en verdad no tiene nada que ver con la casualidad —es un recordatorio de que el único común denominador real entre todo lo que está pasando es usted. ¡Es una señal que le indica que debe cambiar algunos aspectos de su propia personalidad para no atraer a esa clase de empleadores!

Capítulo 10

"Usted controla su futuro, su destino. Lo que usted piense que puede ocurrir es lo que ocurre. Cuando usted registra sus sueños y metas en el papel, pone en funcionamiento el proceso de convertirse en la persona que quiere ser. Ponga su futuro en buenas manos, es decir, en las suyas propias".

—Mark Victor Hansen

Mark Victor Hansen es bien conocido por su contribución de la serie de libros *Sopa de pollo para el alma*. Es un escritor prolífico y antes de convertirse en un orador sobre motivación y potencial humano fue un empresario exitoso.

Durante muchos años, un buen número de oradores de la industria de la motivación han revendido los resultados de un estudio de la Universidad de Yale que evidencia que fijarse metas incrementa substancialmente las posibilidades de éxito. La historia es más o menos así: en el año 1953, los investigadores entrevistaron a varios estudiantes de Yale que estaban a punto de graduarse para determinar cuántos de ellos habían escrito sobre las metas específicas que tenían para sus futuras carreras. El resultado fue que el 3% de ellos lo habían hecho. Veinte años después, los investigadores encuestaron de nuevo a los miembros sobrevivientes de la clase y descubrieron que ese 3% de estudiantes acumularon muchos más beneficios económicos que el otro 97% junto.

Hasta donde lo demuestra la evidencia, esta historia de éxito parece comprobar una relación directa de causa y efecto entre establecer metas y el éxito financiero. Si usted ha leído libros sobre motivación o ha asistido a seminarios sobre el tema, apuesto que ha escuchado esa historia más de una vez. Los consultores más importantes de América como Zig Ziglar, Brian Tracy, Jay Rifenbary y Anthony Robins, han citado a ese estudio para subrayar la importancia de fijarse metas. Sólo que hay un pequeño problema: eso probablemente nunca ocurrió.

En el año 1996, Lawrence Tabak, un escritor de Kansas City intentó revelar la evidencia de este poderoso estudio. Luego de contactar a cada uno de los oradores antes mencionados, al secretario de la clase de 1953 y a un asociado de investigación de Yale, determinó que no se encontraron pruebas en lo absoluto que apoyaran que esa investigación en efecto hubiera tenido lugar.

No obstante, al final de cuentas, lo que realmente importa no es si el estudio fue realizado o no. Cuando usted lea el aparte "¿Sabía usted…?" más adelante, logrará entender cómo funciona el asunto de ponerse metas mucho más allá de lo que puedan indicar los estudios de universidades reconocidas.

Usted deberá estar bien seguro de qué es lo que verdaderamente quiere obtener en la vida, de otro modo es fácil irse a la deriva. Los años pasan como si fueran días, y cuando usted se dé cuenta habrán pasado 20 años sin que usted haya terminado aquella novela que empezó a escribir, tampoco habrá hecho ese curso de postgrado, ni habrá resuelto sus asuntos financieros, y mucho menos habrá aprendido a hablar ese segundo idioma, etc.

Thomas Stanley, autor del libro *The Millionaire Woman Next Door* pregunta: "¿Tiene usted definidas sus metas diarias, semanales, mensuales y anuales?"

Por cada mujer millonaria de un grupo de cien que respondió "No" a esa pregunta, 261 respondieron "Sí". Y de las 100 que dijeron "No", la mayoría de ellas ya se habían jubilado. Lo relevante de esto es que la mayoría de las mujeres que se forjaron a sí mismas en este estudio eran de la clase que se fijaban metas y yo creo que es justo asumir que este principio básico aplicaría también a los hombres.

Recuerdo muy bien cuando empecé a tomarme en serio el tema de fijar metas.

Para ese tiempo ya había logrado un nivel alto de éxito en mi profesión. Yo estaba en la cumbre del 2%—3% de mujeres con mejores ingresos en el país. Tenía dos designaciones profesionales, trabajaba como gerente de ventas senior en una posición de mercadeo con una importante firma de distribución nacional, y me había hecho especialista en mercadeo directo y fidelidad comercial. Sin embargo, deseaba tener más —más éxito y mayores retos en mi carrera y como directora de mi grupo, también quería tener mayor balance en mi vida laboral, libertad económica, relaciones personales más gratificantes y un enfoque renovado sobre mi salud. Además de eso tenía el sueño de convertirme en autora y en conferencista pública.

En diciembre del año 2006, decidí establecer algunas metas. Siempre me había considerado una persona exitosa y enfocada hacia las metas, y aún así, nunca había escrito ninguna meta sobre el papel. Así que decidí poner por escrito algunas metas —no sólo las relacionadas con mi carrera, sino más bien metas sobre todo aspecto de la vida personal, social, financiera, profesional, salud, etc. Estas metas fueron algo apretadas. Fueron metas ambiciosas y agresivas —metas que no hubiera logrado alcanzar si no hubiera sido por las herramientas y técnicas que voy a compartir con ustedes en este capítulo.

Por ejemplo, una de mis metas era la de triplicar mis activos netos en un período de 12 meses. Ahora bien, hay que entender eso en el contexto de que para el tiempo en el que fijé la meta, no estaba obteniendo suficiente dinero en mi carrera de modo que pudiera alcanzarla. Estoy segura de que usted concuerda en que esa es una meta bastante alta. Sin embargo, logré alcanzarla en tan sólo nueve meses.

Mediante establecer metas específicas y mediante utilizar la semántica y las herramientas apropiadas, pude abrir el camino para obtener ganancias que antes hubiera considerado imposibles. Una vez que tuve claro el "Qué", sin necesidad de tener muy claro el "Cómo", logré atraer a las personas, y a las circunstancias necesarias para poder alcanzar mis metas.

También puedo decir que de las nueve metas que escribí en diciembre de 2006, logré alcanzar ocho en noviembre de 2007. Y al momento de escribir este libro, sólo hay una meta pendiente por alcanzar... y no me he dado por vencida respecto a esta.

Hay una última cosa que deseo mencionar sobre el asunto de establecer metas. Tiene que ve con tener muy clara la diferencia entre lo que es una meta y un sueño. Y es esa distinción lo que en mi opinión hace la diferencia. Desde mi perspectiva, la manera tradicional de fijarse metas se parece bastante a un ejercicio clínico. Lea un libro de autoayuda o de negocios y encontrará la forma EMARP de establecer metas. Esto corresponde a que la meta debe ser específica, medible, alcanzable, realista y programable. Aunque yo concuerdo con la necesidad de establecer estos factores básicos, también considero que es absolutamente crucial incorporar el elemento de los sueños y la imaginación.

Por su naturaleza los sueños son ilógicos, irracionales, inconsecuentes, sin pasos específicos y difíciles de medir. Sin embargo, mi observación es que muchos de nosotros nos limitamos a nosotros mismos en el asunto de fijarnos metas por la coacción de nuestra propia imaginación. A todos nos gustaría tener unos USD $10.000 adicionales al año; no obstante, no tenemos una razón poderosa u obligante del "POR QUÉ" nos gustaría tenerlos. Esa es la pregunta crítica que debemos hacernos... conectar el "Qué" o el "Por qué" con el "Cómo" es lo que produce resultados que resultan muy sorprendentes.

¿Sabía usted...?

La razón por la que funciona el ponerse metas es biológica. Hay una parte del cerebro llamada el sistema de activación reticular (SAR). Este sistema cumple con varias funciones, pero la más importante tiene que ver con el proceso de filtración. En el capítulo 4 mencionamos que cada segundo estamos bombardeados de millones de bits de información, y que aquello de lo cual nos hacemos conscientes, depende de nuestras creencias y valores, etc. El SAR es el mecanismo que borra la mayor parte de la información del sistema consciente.

Dicho de forma sencilla, esa es la razón por la cual el saber específicamente qué es lo que se quiere conseguir es tan importante porque hacerlo pone las cosas relevantes en el radar interno de nuestro cerebro. La mente filtra y localiza la información, los recursos y las oportunidades que nos permiten alcanzar nuestras metas. Un ejemplo sencillo de lo anterior puede ser las mujeres en embarazo. En nuestro diario vivir normalmente no nos fijamos muchos en las mujeres embarazadas, y de repente, cuando decidimos empezar una familia, empezamos a ver mujeres encinta por todas partes. ¡El mundo entero pareciera estarse reproduciendo!

El mundo de hoy es el mismo de ayer, excepto que ayer no habíamos tomado la decisión de formar una familia. El simple hecho de tomar la decisión hace que se nos active el SAR y ahora empezamos a notar información y conocimientos nuevos que anteriormente no nos interesaban. Fijarse metas funciona porque es como programar al sistema SAR en lo que debe concentrarse.

Aún así, USD $10.000 no es una cifra apretada en los términos actuales. En mi experiencia, la mayoría de nosotros no debería atreverse a aspirar el doble o el triple del salario. ¿Por qué? La parte faltante en mi cálculo es el dominio de los sueños y la imaginación. Por su misma naturaleza, un sueño es algo que no es potencialmente realista. Sin embargo, los sueños son increíblemente poderosos y vinculantes porque estos consisten en la persona que se quiere convertir, no en la persona que es ahora. Los sueños y la imaginación subyacen en el dominio de la mente subconsciente. Cuando incorporamos ese elemento adicional en el proceso de fijar metas, nos conectamos a los recursos infinitos del subconsciente y encendemos una pasión que nos inspira y nos conduce a hacer realidad nuestros sueños.

Cómo incorporar esta sabiduría en su vida

Aunque se necesita la capacidad de soñar, también se necesita la capacidad de mover esa visión de lo inmaterial a lo material y aquí es donde entra en el cuadro mi metodología para fijarse metas. Plantéese lo siguiente: ¿Es el resultado medible? ¿Cómo sabrá que ha alcanzado su meta? ¿Cuál es el último paso que hay que dar?

☞ ¿Por qué? ¿Con qué propósito o intención deseo alcanzar mi sueño? En este punto no tema soñar el GRAN sueño de su vida.

☞ ¿Es realista y alcanzable? Sin embargo, no tema fijar un plazo de tiempo que pueda ser estrecho y que pueda constituir un desafío.

☞ ¿Es ecológico? ¿Es bueno para usted, para otros y para el medio ambiente?

☞ ¿Son sus metas específicas, claras y concisas? Asegúrese de que su mente subconsciente sepa en qué dirección está avanzando.

☞ ¿Es una meta presente? La meta debe estar escrita en presente, como si la tuviera en este momento y deberá estar firmada por usted.

☞ ¿Está trabajando por su meta? Asegúrese de estar trabajando por su meta y no ir en la dirección opuesta de lo que desea. Usted deberá estar orientado hacia las acciones que lo lleven a alcanzar su objetivo.

☞ ¿Está su meta programada apropiadamente en el tiempo? ¿Ha fijado usted una fecha para lograr su meta?

Con cada uno de los puntos anteriores en mente, seleccione un área de su vida en la que a usted le gustaría enfocarse para escribir su meta —familia y hogar, profesión y finanzas, relaciones personales, salud, desarrollo intelectual y educativo, desarrollo social y cultural, crecimiento espiritual y ético. Complete la siguiente plantilla:

Fecha de hoy: ____________________

Fecha en la que la meta deberá ser alcanzada: ___________

Hoy es, [inserte la fecha en la que la meta deberá ser alcanzada] _________, y yo, [inserte su nombre] ________________
soy/tengo ____
____
____
____
____

Esto ha llegado a realizarse o algo aún mejor de lo que imaginé, y doy gracias a la abundancia del universo por estos dones maravillosos que me ha concedido, por la salud, por la abundancia y el bienestar obtenidos.

Firma, ____________________________

Para dar un ejemplo, si yo estoy interesada en cambiar de empleo y en ganar más dinero con mi profesión, y a fin de abrirme a posibilidades nuevas y apasionantes que estén en conformidad con mis valores, personalidad, etc., podría escribir mis metas como sigue:

Fecha de hoy: 1 de enero de 2008

Fecha de logro: 15 de abril de 2008

Es hoy, 15 de abril de 2008 y yo, Rhondalynn tengo un trabajo/una profesión, que está en armonía con mi personalidad, mis habilidades, valores y características que me genera ganancias de USD $200.000 al año. En este nuevo trabajo, me siento apoyada, entusiasmada, respetada, tengo un nivel de desafío, y me siento mentalmente estimulada. Estoy sentada en mi nueva oficina y estoy diciendo en voz alta cuánto amo lo que hago y a la gente con la cual trabajo. Hasta que encuentre esta nueva oportunidad, doy el 100% en mi posición actual.

Esto ha llegado a realizarse o algo aún mejor de lo que imaginé, y doy gracias a la abundancia del universo por estos dones maravillosos que me ha concedido, por la salud, por lo mucho que me da y el bienestar obtenidos.

Firma: Rhondalynn

En el proceso de establecer metas que se muestra arriba, es muy importante hacer que la meta cobre vida haciendo uso de sus propias palabras. ¿Cómo imagina usted lo que quiere? ¿Qué ve, qué siente, qué escucha, qué huele y qué sabor experimenta? Conéctese con sus emociones relacionadas con el paso final y con lo que esté haciendo exactamente en el momento en el que alcance su meta.

Cuanto más claro sea respecto al "qué" y al "por qué", más significativo será este proceso para usted. Deje que el "cómo haga su parte". ¡No olvide soñar en GRANDE! Se ha dicho que la gente con frecuencia sobreestima lo que puede hacer en un año, pero que subestima lo que puede lograr en una década. En mi experiencia al trabajar con los clientes, he observado que mientras más grande y excitante es la meta, más impulsados se sienten a trabajar por ella.

Capítulo 11

"Los momentos en los que usted toma sus decisiones son los momentos en los que se define su destino".
—Anthony Robbins

Anthony Robbins es un gran presentador profesional, autor y entrenador en el campo del potencial humano. Uno de sus programas incluye caminar sobre el fuego, y a pesar de que Robins tiene sus críticos, no cabe duda que ha sido el catalizador de cambio para millones de personas en el mundo entero.

Ocurre algo mágico cuando se toman decisiones. Cuando una persona toma una decisión, y yo hablo de una decisión acertada, el universo parece conspirar en su favor. Pero la verdad es que la mayoría de nosotros en realidad nunca tomamos decisiones —no en el sentido real de la palabra. La palabra "decidir" viene del latín *decidere*, que literalmente significa "cortar". De modo que una decisión implica, cortar o apartarse de un curso de acción o alternativa. Literalmente significa bloquear las salidas y los puntos de escape y dirigirse única y exclusivamente hacia delante en la dirección que se ha determinado.

La mayoría de nosotros toma "decisiones" sabiendo que después puede cambiar de parecer, deshacer la acción o simplemente no hacer nada. Eso no es una decisión. Pero el punto es que a menos que usted emprenda la acción de inmediato en dirección a sus metas, en realidad no habrá tomado una decisión… simplemente habrá estado pensando en la decisión.

Las decisiones de las cuales habla Robbins son de aquellas que se toman en momentos de crisis. Algo sucede… y esa es precisamente la gota que rebosó la copa. Llegamos a un punto de no retorno. Algo dentro de nosotros traquea. Basta es basta. No hay vuelta de hoja.

Yo llegué a ese punto a finales de 1998. Estaba arrinconada en una esquina en sentido profesional y había cambiado de trabajo varias veces durante los tres años anteriores y todavía no me sentía realizada. En mi interior, deseaba un gran cambio en mi vida y tener retos e inspiración tanto a nivel intelectual como profesional. Tenía un buen salario como abogada y contadora tributaria pero mi carrera no estaba satisfaciendo mis necesidades a nivel interno. Había dedicado 12 años de mi vida a la universidad y a escribir artículos, y sentía que no podía dejar atrás todo eso. La gente pensaría que yo estaba loca. ¿Qué dirían mis amigos? ¿Cómo iba a explicarle eso a mi esposo? Y peor aún, ¿cómo saber qué era en realidad lo que quería?

Me sentía atrapada, abochornada y aterrorizada. El escenario estaba listo para que tomara una decisión que cambiara el rumbo de mi vida para siempre.

Entonces empecé a darme cuenta que estaba pensando demasiado en una idea que me había estado rondando la cabeza por más de un año. Cada vez más las mujeres estaban ingresando a la vida laboral en un rol de profesionales —médicas, abogadas, contadoras, ingenieras, etc. Muchas de estas mujeres habían pospuesto empezar una familia a fin de completar su educación y hallar estabilidad primero en sus carreras respectivas. Luego, a medida que estas mujeres estaban entre sus treinta o treinta y cinco años, decidían empezar una familia; al igual que se mostraban más dispuestas a considerar temas que eran de interés particular para ellas. Un tema muy común por esos días era la falta de ropa de maternidad que encajara con su vida profesional. La mayoría de las mujeres que conocía no usarían ni locas la mayor parte de la ropa de maternidad que se vendía en las tiendas.

Yo tenía una conexión fuerte con este negocio en particular e identifiqué rápidamente la visión/misión del mismo —ayudar a las mujeres que quisieran conservar un look profesional en su estado de embarazo a medida que sus cuerpos fueran cambiando de forma. La única desventaja era que yo no sabía nada respecto a comenzar un negocio de ventas al detal de ropa para mujeres profesionales en embarazo. De hecho, yo misma no tenía hijos.

Al principio de 1999, en un momento de locura temporal, decidí dejar una carrera estable y lucrativa y aventurarme al mundo incierto de la pequeña empresa comprometiendo todos mis recursos financieros en el proyecto. De hecho, abrí la tienda durante los dos meses siguientes a dejar mi empleo. Poco después ya tenía un catálogo en la web con varios mostrarios. Para mí, la clave estaba en aprovechar la euforia del momento. Una vez tomé la decisión, avancé a toda marcha con planes de acción a 30, 90 y 120 días. En el año 2001, el Concilio de ventas al detal de Canadá me nombró la Minorista Innovadora del Año (con negocios en ventas por más de 10 millones de dólares), por mis logros en mercadeo, publicidad y comercio en línea.

Ahora bien, es posible que en este momento usted esté pensando: "Estupendo, lo que pasa es que yo no tengo idea sobre qué tipo de negocio o carrera quiero emprender". O tal vez esté necesitando tomar una decisión respecto a su salud o a sus relaciones personales pero no se siente seguro o simplemente no desee tomar una decisión que le bloquee sus rutas de escape. En cualquier caso, piense en esto: en mi experiencia, el simple hecho de tomar una decisión y emprender la acción en busca de resultados, aun cuando aquello represente simples pasos pequeños, ello hará que su mente busque oportunidades e instrucción sobre su objetivo deseado.

George Lucas, famoso productor de cine, decidió a una edad temprana que sería millonario a la edad de 30 años. Al principio, la ruta que escogió para alcanzar su sueño fue convertirse en un corredor de autos. Sin embargo, un accidente casi fatal cuando estaba a punto de graduarse de la secundaria hizo que cambiara de planes. Asistió a la universidad y allí desarrollo la pasión por una profesión mucho más segura, la de producir películas. Más tarde ingresó a la facultad de cine de la Universidad de California. Como resultado de su decisión de convertirse en millonario y gracias a su dedicación para ser el mejor, Lucas se convirtió en millonario a los 30 años. Logró hacer su primer millón de dólares a los 28 años y después creó un legado de películas que serán recordadas y atesoradas por muchos años.

De forma similar, a la edad de ocho años, Tiger Woods asombró a su audiencia cuando declaró en televisión en una entrevista que él se convertiría en el golfista número uno del mundo y que superaría los récords de Jack Nicholas. Desde una edad temprana, su concentración, dedicación y obsesión por la excelencia le permitieron canalizar sus esfuerzos y acciones hacia mejorar su juego. A la edad de 22 años, Tiger alcanzó su meta de convertirse en el golfista número uno del mundo y también ha logrado superar los récords de las grandes leyendas del golf.

Cuando uno estudia la vida de las personas más exitosas en la historia —Donald Trump, Warren Buffet, Lance Armstrong, Anthony Robins, Richard Branson— descubre que muchos de ellos tenían un sueño por cumplir, algo verdaderamente sobresaliente. No obstante, lo que separa a esas grandes mentes de la persona promedio no es la meta, sino más bien su capacidad de decisión. Todos tenemos metas y aspiraciones, pero pocos las alcanzamos. La clave radica en la habilidad de tomar una decisión real y de emprender de inmediato la acción. El movimiento de los derechos civiles en América inició mediante una sola decisión que hizo Rosa Louise Parks. Su negación a darse por vencida y sentarse al lado de un pasajero blanco en un bus de Montgomery, Alabama, el primero de diciembre de 1955, desató la ola de protestas que trascendió en todo el territorio de los Estados Unidos. Su gran acto de valor transformó a América y cambió el curso de la historia.

¿Sabía usted…?

La nueva ciencia está descubriendo que nuestra intención enfocada tiene impacto en los resultados que obtenemos. Cuando aprendemos a dominar nuestra intención y dirigimos nuestra atención y enfoque de forma consciente hacia un resultado particular, las posibilidades de que ese resultado se obtenga se incrementan mucho más allá de las posibilidades aleatorias. Por el contrario, si todo el tiempo estamos cambiando de parecer y nunca nos comprometemos con nada, entonces ¿cómo pueden actuar estas fuerzas a favor de aquello que estamos intentando alcanzar?

El doctor William Tiller, de la Universidad de Stanford, es una figura destacada en el estudio de la intención y de la forma como nuestros pensamientos interactúan con el entorno. El profesor Tiller ha demostrado lo poderosos que pueden llegar a ser los pensamientos. En un experimento hizo que varios meditadores experimentados concentraran su atención en unas cajas negras con la instrucción de "incrementar el pH del agua en 1%". Ahora bien, si consideramos que aumentar el pH en un 1% en el cuerpo humano sería algo fatal, el resultado fue suficientemente significativo para ilustrar que aquello no pudo ocurrir de forma natural. Estas cajas fueron puestas cerca a agua que había sido tomada de la misma fuente. Todas las cajas sobre las cuales se hizo el ejercicio de meditación aumentaron el pH del agua. Las cajas de control no evidenciaron ningún cambio. Por lo tanto, se probó que lo que elegimos y lo que pensamos tiene un efecto real en lo que experimentamos.

Ahora, mire en retrospectiva su propia vida... ¿puede usted pensar en dos o tres decisiones que cambiaron completamente el curso de su vida? Quizás usted decidió viajar antes de entrar a la universidad, o de pronto decidió casarse o divorciarse. Los eventos más significativos de la vida ocurren en algún punto en el que hemos tomado una decisión definitiva. Esas, frecuentemente no son decisiones buenas y no siempre nos conducen en la dirección que deseamos. No obstante, siempre tenemos la facultad de cambiar. Lamentarse es una indulgencia sin valor. Si usted no está satisfecho con algunos asuntos de su vida en el presente, el mejor momento para tomar una nueva decisión es hoy. En palabras de un gran hombre, Theodore Roosevelt, "En cualquier momento de decisión lo mejor que usted puede hacer, es hacer lo correcto, lo segundo mejor que puede hacer es lo incorrecto, y lo peor que puede hacer es no hacer nada".

En este momento usted tiene la facultad de tomar una decisión que lo ponga en dirección de obtener lo que desea en la vida. La vida no es un experimento. Ahora bien, es posible que algunos de ustedes estén pensando: "Por supuesto que yo sé eso". Sin embargo, el asunto es este

—sólo hasta cuando usted ACTÚE, entonces realmente TENDRÁ EL CONOCIMIENTO. Y la única pregunta pertinente que se debe hacer es esta: "¿Estoy realmente viviendo, tomando decisiones y avanzando hacia adelante, o simplemente estoy pensando al respecto?".

Parte del problema del mundo moderno es que todo es desechable —incluso las decisiones. Como resultado, nuestra facultad de tomar decisiones es débil, como un músculo al que no se le ejercita. Y eso se debe a que rara vez ejercitamos nuestra habilidad de tomar decisiones acertadas. Por el contrario, sólo vemos cómo transcurren las cosas. El aumento de los medios de comunicación ha hecho que ya no tomemos decisiones sobre cosas simples como a qué hora vamos a encontrarnos con nuestros amigos. Por el contrario, les enviamos textos con instrucciones minutos antes de encontrarnos. Las opciones se toman de forma más fluida —tan sólo observe la creciente tasa de divorcios.

Pero en realidad nos estamos haciendo un gran daño cuando no nos comprometemos con nada o cuando no obramos con valentía a favor de nuestros compromisos. Esto cobra mayor significado si tenemos en mente lo que indica la física cuántica sobre la naturaleza de la realidad.

Nuestra vida, y la calidad de ella, dependen no de nuestras circunstancias personales, de nuestra disposición genética, del entorno o de cualquier otro factor externo. Dependen de la calidad de nuestro mundo interno. A su vez, la calidad de nuestro mundo interno depende mucho más de las decisiones que tomamos. La calidad de las preguntas que nos hacemos afecta nuestras decisiones. La calidad de nuestras decisiones afecta nuestras acciones. Y la calidad de nuestras acciones afecta la calidad de nuestros resultados y en últimas de nuestra vida misma.

Al final de las cuentas, si usted ha decidido algo en cualquier aspecto de su vida, pero si todavía no ha emprendido la acción… entonces no habrá decidido nada en realidad, simplemente habrá estado pensando al respecto.

Cómo incorporar esta sabiduría en su vida

Anthony Robbins habla de un proceso de cuatro pasos a los cuales él llama "La fórmula definitiva del éxito". Aplicarlos constituye un excelente recurso para tomar decisiones y avanzar para lograr resultados.

1. Primero, decida qué es lo que quiere lograr.
2. Emprenda la acción.
3. Vigile que su actuar lo esté llevando hacia la consecución de su meta y que no lo esté alejando de ella.
4. Cambie sus métodos hasta que consiga alcanzar su meta.

Tomar decisiones es un hábito que debe desarrollarse. Si usted ha perdido el hábito de tomar buenas decisiones, practique con cosas pequeñas hasta que nuevamente gane confianza. Haga una lista de diez cosas que le gustaría hacer pero que ha estado posponiendo. Registre la fecha en la cual usted deberá haber completado cada meta y emprenda la acción hoy mismo para completar alguna de estas metas.

Capítulo 12

"Lo que puedas hacer o soñar, ponte a hacerlo.
El valor está lleno de genialidad, poder y magia".
—Johann Wolfgang Von Goethe

Goethe, de nacionalidad alemana, fue un escritor, dramaturgo, teórico, pintor y científico muy famoso. Su amplio conocimiento en una gran variedad de campos le atrajeron fama y admiración. Su obra, *Fausto*, es considerada una de las mejores de la literatura de todos los tiempos. Su trabajo científico tuvo influencia en Darwin y su contribución a la filosofía es inapreciable.

La cita que abre este capítulo siempre viene a mi mente cuando hago consultoría con mis clientes. Cuando una persona viene para una sesión por primera vez, consideramos qué es lo que desea cambiar o alcanzar, y siempre ocurre una de dos cosas. La primera es que al individuo se le hace realmente difícil soñar grandes sueños. Ahora bien, si la persona logra pasar ese primer obstáculo, en seguida dice lo difícil que eso puede ser. Y de inmediato recuerdo la cita.

Ahora bien, observemos que Goethe no dice: "Lo que puedas hacer o soñar, planéalo, y prepara cada pequeño detalle para hacer que suceda".

Él simplemente dice: *¡Ponte a hacerlo!*.

Lo único que tenemos que hacer es soñarlo y ponernos en movimiento. Con bastante frecuencia restringimos nuestros sueños y esperanzas porque desde la perspectiva del AHORA, parecen improbables o difíciles de alcanzar. Sin embargo, los dos ingredientes vitales para que el cambio ocurra son los sueños y el sentido de compromiso. La planeación es importante y tiene su lugar pero uno no puede esperar hasta tenerlo todo arreglado antes de iniciar. Si uno hace eso, nunca va a iniciar nada.

Goethe, de hecho dijo mucho más de lo que a simple vista dice la nota del inicio de este capítulo…

"Antes que uno se comprometa, sólo hay vacilación, desventajas, e ineficacia. Respecto a todos los actos de iniciativa y creación, hay una verdad elemental, cuyo desconocimiento resulta en el fin de incontables ideas y planes espléndidos: en el momento en el que uno se compromete, la providencia también lo hace. Ocurren toda clase de cosas para ayudarle a uno, cosas que de otro modo nunca ocurren. Se desata una cadena de eventos, de sucesos imprevistos, de ayuda material inesperada y de encuentros a nuestro favor, que ningún hombre hubiera podido prever que ocurrirían, y esto ocurre desde el mismo momento en que uno toma la decisión. Lo que puedas hacer o soñar, ponte a hacerlo. El valor está lleno de genialidad, poder y magia. Inícialo de inmediato".

En el capítulo anterior consideramos la importancia de tomar decisiones. En este capítulo ampliaremos el tema. Una vez que la decisión está tomada y uno se ha comprometido, la gente, los recursos, y los prospectos se materializan de una forma que de otro modo nunca ocurriría. Cuando usted se comprometa con un curso de acción, no tendrá que saber el *Cómo.* Tan pronto como usted sepa el "Por qué" el "Cómo" se encargará de todo. Pero primero, usted tendrá que tomar la decisión y ¡COMENZAR!

Cuando usted avance hacia su elección, "la providencia lo hará también". El "Cómo" empezará a desenvolverse. Usted encontrará la senda; conocerá a nuevas personas en su vida, las oportunidades se presentarán de forma tal que usted no tendrá dudas de la veracidad de las palabras que pronunció Goethe.

En diciembre de 2006 yo decidí que quería escribir y publicar mi primer libro y me comprometí con esa meta, de modo que la registré por escrito de inmediato. Yo no tenía idea de cómo escribir un libro, y mucho menos sabía sobre cómo publicarlo, pero estaba totalmente comprometida con mi sueño. Empecé a organizar mis pensamientos e hice un boceto en borrador de los capítulos que contendría. A medida que el esqueleto empezó a tomar forma, empecé a explorar e investigar, y comencé a leer todos los libros que encontraba sobre desarrollo personal y sobre la ciencia que estudia la forma como la mente funciona.

Luego, cuando alcancé un punto en el que tenía buenas porciones del libro en formato de bosquejo, empecé a investigar qué era lo que seguía de ahí en adelante. Yo estaba comprometida con mi visión y la providencia actuó… encontré un sitio en la red donde varios escritores profesionales ofrecían sus servicios. Les escribí y recibí de vuelta un sorprendente interés de parte de varios escritores de todo el mundo. Pero más importante aún, ese sitio web me condujo a una escritora en particular que me ayudó con este proyecto. Ella de hecho había participado en escribir entre bastidores muchos libros en la industria del desarrollo personal, y por ende estaba muy familiarizada con el tema. Del mismo modo, ella y yo tuvimos una conexión especial desde el mismo principio —experimenté un gran sentido de afinidad con ella y la convicción de que me ayudaría a plasmar mis palabras, emociones e historias de una forma en que resultara auténtica, memorable e inspiradora.

Para esa misma época también recibí la invitación para participar en un seminario sobre inversiones en Melbourne, el cual iba a ser conducido por Peter Spann. Recuerdo que particularmente me sentí bastante emocionada porque Denis Waitley, el autor internacional de varios bestsellers y conferencista destacado estaba invitado para participar en el programa. Luego de comprar un ejemplar de su libro, *Semillas de grandeza,* hice la fila junto con cientos de otras personas para recibir su autógrafo. Cuando llegó mi turno para que Denis firmara mi libro, se detuvo por un momento e hizo un comentario sobre mi nombre singular. Sin vacilar, exclamé: "Estoy segura que volverá a escuchar mi nombre muy pronto porque estoy escribiendo mi primer libro este año y sé de corazón que será un bestseller".

Yo misma estaba sorprendida por las palabras que pronuncié en ese momento, pero ya las había dicho así que no había absolutamente nada que hacer para volverme atrás. Para mi sorpresa y deleite, Denis sacó su tarjeta comercial, me la entregó y me ofreció su ayuda para que pudiera alcanzar mi sueño. Tan sólo acababa de conocer a uno de mis autores favoritos de todos los tiempos —alguien a quien yo admiraba y respetaba muchísimo— y se estaba ofreciendo para ayudarme.

Hacia finales de 2007 empecé a concentrar mi atención en la tarea de encontrar una editorial. Yo estaba tomando café con una buena amiga —alguien a quien había conocido por años— y el asunto del libro y el tema de la editorial salieron a flote. Le empecé a explicar las varias inquietudes que tenía sobre encontrar una editorial, la negociación para retener los derechos de producir una versión de audio del libro, obtener distribución plena del mismo y las relaciones públicas que acompañaban a todo eso. Lo que yo no sabía era que para ese tiempo Marlene ya había trabajado con la editorial Penguin en los Estados Unidos, antes de ser trasladada a Australia con Disney. Ella entendía perfectamente las cuestiones implicadas y me ofreció sus servicios para ayudarme a negociar un buen acuerdo cuando llegara el momento de hacerlo.

Para el tiempo en el que me comprometí con mi sueño de escribir un libro, no tenía idea de sobre qué escribir exactamente, y sobre cómo integrar todas las partes del libro, y mucho menos sobre cómo encontrar una editorial. Sólo sabía el "Por qué"; quería hacer la diferencia compartiendo mis historias e inspirando a otros a avanzar más allá de sus limitaciones percibidas, y entonces dejé que el universo se encargara del "Cómo".

No espere hasta que todas las circunstancias sean perfectas antes de establecer su compromiso. Uno no puede esperar hasta que todas las "i" tengan su punto encima y todas las "t" hayan sido cruzadas antes de emprender la acción. Nunca es el momento preciso —el presente es el único momento que existe. No se deje invadir por la preocupación de cometer errores —de seguro los va a cometer— pero recuerde que cualquier decisión es mejor en comparación con ninguna decisión en

¿Sabía usted…?

El principio fundamental de la física clásica es la inercia, la cual, dicho simplemente, declara que "un cuerpo en movimiento tiende a permanecer en movimiento y que un cuerpo que está quieto tiende a permanecer quieto". La inercia es la fuerza que impide que las cosas dejen de moverse. La parte más crucial de mover algo —sea que ello se trate de avanzar hacia la realización de sus sueños, o el que una pelota de fútbol cruce la línea de meta— es el inicio. Usted tendrá que cambiar la condición de inercia, y una vez inicie el movimiento, cada movimiento subsiguiente se hará más fácil de realizar, hasta llegar al punto en el que eventualmente sea imposible detenerse.

Lo mismo ocurre con las decisiones que se toman.

absoluto.

El lector asiduo habrá notado que algunas ideas que aparecen en varios capítulos de este libro parecen contradecirse. Una de las lecciones más importantes de la vida son: el mundo está lleno de dicotomías y de verdades opuestas que pueden confundir a aquellos que sólo buscan "una sola forma correcta de hacer las cosas". Por ejemplo, hablamos sobre la facilidad de estar en la ruta correcta. Cuando las extrañas coincidencias confirman la ruta correcta, y luego, cuando estamos haciendo aquello que deberíamos estar haciendo, se imprime simplicidad y facilidad en el proceso. También hablamos sobre lo inevitable de encontrar y superar obstáculos. Ambas cosas son ciertas. Lo mismo es cierto de este asunto de que usted no tiene que tener todas las respuestas —lo único que debe hacer es empezar. Por otra parte, la planeación es una parte muy importante de cualquier proceso porque permite depurarlo. Esto parece contradecir la idea de que debemos simplemente iniciar y esperar que las cosas vayan resultando a lo largo del camino.

Infortunadamente no tengo una respuesta definitiva para esto. Las dicotomías de la vida son ciertas. Eso es lo que hace que la vida sea tan interesante y frustrante en ocasiones. Uno deberá desarrollar sus sentidos sobre lo que ocurre a su alrededor de modo que pueda juzgar cuando los obstáculos son simplemente pruebas, o por el contrario, una indicación de que se debe cambiar de dirección. Sólo cada uno de nosotros podrá saber eso. De manera similar, si uno continúa aventurándose a hacer emprendimientos ignorando la etapa de planeación antes de dar el paso decisivo, entonces ciertamente tendrá que pagar el precio.

A lo que Goethe se refería era específicamente al beneficio de avanzar. Es muy fácil sentarse en una silla y vacilar una y otra vez sin emprender absolutamente nada. Levántese de esa silla, vaya en una dirección o en la otra, ingrese al campo de juego, en vez de simplemente vitorear desde las graderías. Sólo así usted tendrá la oportunidad de cambiar sus tácticas a medida que el juego progrese. A nadie le gusta estar al lado de las personas que sólo gritan y que se resignan al hecho de vitorear sobre la forma como podría hacerse un mejor juego en la cancha. Tome una decisión ahora mismo e ingrese al juego. Tendrá que vencer su ansiedad y empezar a avanzar hacia las metas que quiera alcanzar. Y así, y sólo así, logrará encontrar las soluciones, atraer los recursos, descubrir las oportunidades, y tener el poder de transformar el mundo.

Cómo incorporar esta sabiduría en su vida

La frase clave en la cita de Goethe es "Ponte a hacerlo". Ello transmite la connotación de "empezar ahora", no de "empezar más tarde" o "mañana" o "la próxima semana". ¡Empiece AHORA MISMO!

Piense en algo que realmente quiera. Posiblemente esté pensando en ser promovido o en conseguir otro trabajo. ¿Qué puede hacer en este mismo momento que rompa la inercia de esa opción para convertirlo en acción? Usted puede entrar a la red y revisar ofertas laborales por internet. Luego de mirar los sitios puede actualizar su hoja de vida y enviarla a una agencia de empleos. También puede telefonear a ese amigo que le comentó que hay la posibilidad de que se abran nuevos puestos de trabajo en su compañía.

El asunto es —¡inicie ahora mismo!

Capítulo 13

"El hombre que es consciente de su responsabilidad para con otros seres humanos o hacia aquellos que lo quieren, o hacia un trabajo no finalizado, nunca se dará por vencido en su vida Este hombre sabe el 'Por qué' de su existencia, y por lo tanto, estará dispuesto a develar el 'Cómo'".

—Viktor Frankl

Viktor Frankl fue un psiquiatra y neurólogo austriaco. También fue el autor de un libro pequeño llamado *El hombre en busca del sentido*. Y si hay alguien que deba saber sobre lo que significa buscar el sentido es Viktor Frankl. No sólo perdió a la mayor parte de su familia en cámaras de gas en la Alemania nazi, sino que presenció horrores inimaginables durante varios años antes de su liberación. Frankl desarrolló la logoterapia y la terapia existencial, las cuales han ayudado a millones de personas en todo el mundo a encontrar el sentido de sus propias vidas.

A veces la vida no es agradable, y en muchas ocasiones tampoco es justa. Sé eso por experiencia propia y también porque he visto a otros atravesar gran dolor y sufrimiento. Durante años, después de la muerte de mi madre no lograba armar el rompecabezas. Nada tenía sentido y si alguien me hubiera dicho que debía hallar algo positivo del asunto, probablemente lo hubiera golpeado.

La tragedia personal y el dolor constituyen un asunto personal y nadie tiene el derecho de emitir juicios o hacer sugerencias sobre cómo debería o no enfrentarse. Hay dos clases de personas en el mundo —quienes han perdido a alguien cercano a ellos, o aquellos que no han experimentado eso... al menos todavía.

Los últimos nunca entenderán la angustia de los primeros y a veces me pregunto si siquiera deberían intentarlo. Con esto no quiero decir que no deberíamos consolar a otros o que el desarrollo personal deba intentar buscarle al asunto el lado positivo. Siempre me sorprende como la gente ofrece consejo sobre este tema, especialmente cuando no tienen idea sobre lo que la persona está experimentando dado que nunca han experimentado algo remotamente similar.

La paradoja, por supuesto, es que de algún modo usted necesitará encontrar la forma de hacerle frente al tema y seguir adelante, pero con frecuencia debemos llegar a esa conclusión por nosotros mismos. Recuerdo que leí *El hombre en busca de sentido*, escrito por Viktor Frankl, y que me quedé bastante sorprendida por la travesía que realizó. ¿Cómo es posible presenciar un horror tan inimaginable, perder a su familia y aún así encontrar el "sentido" para seguir adelante y todavía dar un paso más?

Eso se logra cuando se hace exactamente lo que él dice. Mediante hacerse consciente de una responsabilidad mayor. Para Frankl su responsabilidad mayor era la humanidad misma. Él deseaba sobrevivir para poder contarle al mundo lo que sucedió para que eso no volviera a ocurrir de nuevo. Él necesitaba sobrevivir para documentar su investigación y su terapia, la cual probó en sus compañeros prisioneros en sus horas más oscuras. Él encontró un "Por qué" suficientemente significativo para continuar avanzando, cuando todos los demás se daban por vencidos y se rendían.

Yo podía identificarme con eso. Al menos en la parte de querer darme por vencida. Justo antes de que mi madre muriera, yo había logrado alcanzar una posición bastante codiciada en la firma de abogados en Calgary.

Tomé la decisión de continuar con los planes principalmente para tener una razón por la cual levantarme día a día. Perdí bastante peso. Pasé de tener 65 kilos a tan sólo 49. Tenía dificultades para poder dormir y utilizaba antidepresivos y pastillas para dormir la mayor parte del tiempo. En las fotos de mi graduación de la escuela de leyes me veo absolutamente terrible, casi demacrada. Creo que en ese tiempo la gente andaba en puntillas cuando estaba a mi alrededor. Simplemente no sabían qué decir, y la mayoría no decían nada.

La gente me evitaba y yo comprendía que simplemente no tenían las palabras para expresar lo que sentían, lo cual de seguro los hacía sentir incómodos. Aquel fue un tiempo de gran soledad para mí. Haciendo un paréntesis, si alguna vez se encuentra en una posición en la que alguien ha sido tocado por la tragedia, intente decir algo, aunque sea algo como lo siguiente: "En realidad no sé qué decir, pero lamento mucho escuchar lo que te pasó y estaré aquí cada vez que necesites hablar".

Hice lo necesario para crear alguna ilusión de normalidad. Sentía responsabilidad con mi empleador para levantarme cada mañana, darme un baño e ir a trabajar. Aquello no fue algo consciente, pero mirando en retrospectiva, ahora puedo ver que encontrar ese pequeño "Por qué" me ayudó a dar ese paso adelante cada nuevo día. Para ser honesta, hay partes enteras de ese año de las que simplemente no recuerdo nada en absoluto. Yo no creo que hubiera sido algo significativo para la firma en la que trabajaba pero creo que haber tenido ese trabajo fue mi cuerda salvavidas.

Aquel realmente no fue un buen año y no voy a decir lo contrario. Fue increíblemente difícil —especialmente porque algunas personas con las que trabajaba cuestionaban el hecho de que yo tuviera un puesto en la compañía. Consideraban que yo debí haber tomado algún tiempo de descanso —quizás haber viajado al extranjero. Yo consideraba aquella opción como algo absolutamente ridículo. No estaba bien físicamente, mi peso estaba muy por debajo de lo normal, sufría depresión, y había perdido completamente a mi familia inmediata. ¿A dónde pensaban ellos que yo debería haber ido? Por supuesto no tenía el menor ánimo para irme de vacaciones por Europa.

Tampoco voy a ocultar el hecho de que contemplé la idea de poner fin a mi vida. Hubo ocasiones en las que deseé que un automóvil o un autobús se salieran del camino y me arrollaran. La pérdida y la sensación de vacío hacían que todo fuera imposible de soportar. Estaba atrapada entre el terror y el trauma de lo que debieron ser los últimos momentos de vida de mi madre. Pero aún a pesar de que aquello fue el "fondo" para mí, sabía intuitivamente que debía intentar crear algún tipo de sentido para vivir. Ese sentido significaba levantarme y saber que tenía que estar en un sitio cada día. Tampoco quería decepcionar a mi mejor amiga (ella también necesitaba mi apoyo en esos momentos) y tampoco quería causarles más dolor a mis abuelos.

Por extraño como parezca, también tenía mascotas que me necesitaban, y quería asegurarme de hacer mi mejor parte en los juicios de los que participaba. Me concentré en mis responsabilidades para con otras personas para ayudarme a mí misma a hacer frente a la inmediatez de la crisis. Y eso hizo la diferencia.

Benjamín Franklin dijo: *Aunque no podemos controlar todo lo que nos sucede, sí podemos controlar lo que sucede en nuestro interior.* Nuestra vida no está supeditada a una colección de eventos, está dictaminada por el significado que le atribuimos a esos eventos.

¿Sabía usted…?

Oprah Winfrey fue despedida en uno de sus primeros trabajos como reportera de televisión y se dijo que ella "no era apta para la TV". ¿Qué significado cree usted que ella le atribuyó a ese momento decisivo? ¿Cree usted que ella se regresó a su apartamento y se dijo a sí misma que era tiempo de darse por vencida y más bien conseguir algún trabajo como asistente de oficina?

Luego de su primer presentación en el Grand Ole Opry, a Elvis Presley se le prohibió regresar y se le dijo: "¡No eres bueno para este sitio ni para ningún otro!" En ese momento crucial de su carrera, ¿cree usted que el rey del rock and roll creó para sí un significado de derrota y humillación y se dio por vencido?

Luego de que Fred Astaire tuviera su primera prueba en el set de grabación, el director de la prueban en MGM envió un memorando que decía: "No puede actuar. Ligeramente calvo. No puede bailar, ni siquiera un poco". ¿Se tomó Fred a pecho la opinión del director y se dio por vencido o tomó una copia de ese memorando para construir un "Por qué" para convertirse en uno de los actores y bailarines más famosos de la historia?

> Walt Disney —un hombre reconocido mundialmente por su mentalidad vívida y creativa— fue despedido en una ocasión por un editor de periódico por falta de ideas. También se fue a la quiebra varias veces antes de abrir Disneylandia. Walt nunca se dio por vencido —a pesar de los obstáculos y los reveses, los consideró como una lección más para seguir adelante y alcanzar el éxito.
>
> Cuando la vida le dé limones, intente algo nuevo y haga limonada.

Sin importar si usted ha experimentado o no en la vida cosas desagradables, existe en los seres humanos una motivación interna que los guía hacia buscar sentido y propósito. Si logramos entender nuestro "Por qué" entonces podremos encarar cualquier "Cómo" que la vida nos presente. Si en nuestro corazón creemos que existe un gran propósito en el cual participar, aun en las noches más oscuras, podemos encontrar la forma de dejar que la luz de nuestro verdadero yo brille. Utilizando las palabras de Frankl: "Aquello que da luz debe soportar la quema".

Si logramos interpretar esos eventos de forma tal que tengan sentido, que aporten para nosotros y que nos empoderen, entonces podremos estar seguros de que podemos navegar a través de la tormenta. Yo sé que lo que me ocurrió fue horrendo, pero no fue ni la mitad de crucial de lo que inicialmente me dije a mí misma que significaba para mí y para mi futuro. Me tomó años darme cuenta de que yo había hecho que la muerte de mi madre significara que yo tenía algún defecto de alguna manera. Sin embargo, yo soy la única que puede atribuir significado a los eventos de mi vida y eso mismo es cierto de usted.

Los eventos pueden ser positivos, negativos o neutrales —usted es quien elige el significado que puedan tener. Si no se siente satisfecho con las decisiones que ha tomado en su vida hasta este momento, la buena noticia es que puede escoger darles nuevos significados a esos eventos, lo que puede llevarlo a un futuro brillante e imponente.

No cometa el mismo error que yo cometí —¡nunca es demasiado tarde para convertirse en la persona que siempre quiso ser!

Cómo incorporar esta sabiduría en su vida

Siempre me ha gustado leer las caricaturas de los periódicos. Me encanta la forma como interpretan algún suceso que ocurre en el mundo agregando algún texto que le cambia su significado por completo...

Con frecuencia pienso en varias de estas e intento ver si pudiera hacerlas aún más divertidas. Lo que me sorprende es que la vida se parece mucho a eso. Los eventos y las experiencias son la caricatura y lo que creemos respecto a estas se convierten en los significados que les damos.

Cuando pienso en mi experiencia, me doy cuenta que las lecturas que yo creé respecto a la muerte de mi madre y de lo que ello significaba para mí como persona, eran equivocadas. Y aun así, permitía que otras personas pusieran lecturas en mi vida. Me decidí a que eso ya no continuara siendo así.

Cuando le suceda algo que tenga la capacidad de hacerle retraer en su espíritu, deje que su imaginación recree la escena como si se tratara de una caricatura, y agregue una lectura que le haga sentir bien. Tan pronto como lo haga, toda la energía negativa que había allí encerrada se disipa. ¡Intente hacerlo hoy mismo!

Capítulo 14

"Las dificultades que resultan de los problemas hacen que surjan habilidades o talentos que de otro modo nunca emergerían para brillar".
—Horacio

Quinto Horacio Flaco (Horacio a sus amigos) fue un poeta lírico romano que vivió durante el reinado de Augusto. Él fue el autor de la conocida frase *Carpe diem* —"Aprovecha el día".

Es sólo cuando estamos sometidos a presión que descubrimos cosas sobre nosotros que antes no conocíamos. Con frecuencia es la adversidad la que nos permite descubrir o hacernos conscientes de nuestros talentos innatos.

Una de las ideas revendidas en la industria del desarrollo personal es que uno puede hacer cualquier cosa si la desea con la suficiente vehemencia. ¿Pero es cierto eso?

Yo creo que todos tenemos capacidades para la grandeza, pero no en todo. Y de todos modos, ¿qué sentido tendría que quisiéramos ser buenos en todo? Lo que necesitamos es identificar y enfocarnos en aquella habilidad o habilidades que tenemos y entonces hacer la diferencia, concentrándonos en esta(s) de forma total y exclusiva.

En febrero de 2007 asistí a un seminario de Freedom Fox para escuchar a Kieran Perkins. Dado que yo no crecí en Australia, no creo que comprendiera la magnitud de sus logros atléticos ni la trascendencia de su carrera. Yo tenía grandes expectativas de escucharlo pero no imaginaba lo mucho que me llegaría al corazón y que me inspiraría su presentación. Este hombre es un deportista absolutamente legendario, un gran modelo para imitar y una persona muy sobresaliente. Realmente considero que fue un honor y privilegio haber asistido a su presentación aquel día.

Para quienes vivan fuera de Australia el nombre de Kieran Perkins tal vez no sea muy conocido. No obstante es uno de los mejores nadadores de larga distancia en el mundo. Kieran ganó dos medallas olímpicas en 1992 y en 1996 y la medalla de plata en estilo libre de los 1.500 metros en el año 2000. Quizás su victoria más conocida sea la de 1996 en los juegos olímpicos de Atlanta… Kieran no estaba en buena forma y se esperaba que su compañero australiano Daniel Kowalski lo superara. Sin embargo, Kieran clasificó para la final por una simple diferencia de 0.24 segundos, lo que significaba que había nadado en el carril número ocho, es decir, el carril más difícil de todos. Para completar, Kieran estaba sufriendo de una infección en la garganta. Pero a pesar de no sentirse bien logró el mejor desempeño de su vida y ganó la competencia que paralizó a una nación entera. Con esta proeza, Kieran obtuvo la medalla de oro y rompió 12 récords mundiales y se convirtió en el primero en obtener de forma simultánea los títulos de ganador de los olímpicos, del mundo, de la comunidad británica de naciones y de la zona pan-pacífica.

En su presentación Kieran dedicó buena parte de su discurso a hablar sobre un concepto bastante importante —encontrar su propio "evento". Él no nació sabiendo que podría ser un campeón de natación. Como cualquier otro chico, probó suerte en varios deportes —estuvo en la AFL, participó en carreras de pista e hizo parte de un equipo de cricket— y en ninguna de estas cosas demostró ser lo suficientemente bueno. La natación fue algo que sencillamente le sucedió. De hecho, inicialmente empezó a nadar como parte de un proceso de rehabilitación luego de sufrir una lesión seria en su pierna cuando por accidente atravesó un ventanal. Kieran aprendió las técnicas clave de la natación y probó compitiendo en varias distancias antes de descubrir que en realidad era un excelente nadador de grandes distancias. Por fin había encontrado su nicho y lo que siguió a continuación es historia.

Kieran literalmente tropezó por accidente con su "evento". Si no hubiera tenido aquella lesión, cuando por accidente atravesó ese ventanal, probablemente nunca hubiera descubierto su nicho. Algunos piensan que eso fue pura coincidencia pero él no opina que haya sido así —él cree que todas las personas tienen talentos, habilidades y dones únicos que los pueden hacer sobresalir de los demás. Lo interesante es que a menudo es en los tiempos de adversidad cuando tenemos la oportunidad de andar terrenos desconocidos y descubrir esos talentos.

Hace muchos años, cuando yo recién había cumplido veinte años, participé en un viaje de bicicleta cuatro días y 200 kilómetros en el condado de Kananaskis, el cual está ubicado en el corazón de las Montañas Rocosas. Yo era una de las dos mujeres que participaron en el recorrido y era bastante inexperta —algo así como una aficionada ciclista de la ciudad. Los demás del grupo eran hombres con bastante experiencia en la bicicleta, tanto en carretera como en montaña. Yo me sentía más que satisfecha con montar mi bicicleta, disfrutar del paisaje y dejar que los muchachos guiaran la expedición.

El viaje estuvo marcado por el mal tiempo, los contratiempos mecánicos, las lesiones físicas y hasta por un encuentro cercano con un gran oso pardo que se mostró igual de sorprendido que nosotros al vernos. Cada día representó una nueva aventura y yo estaba maravillada al ver lo bien que trabajábamos en equipo para superar los obstáculos. Sin embargo, el último día, nos vimos envueltos en una gran dificultad. Hasta ese momento nos las habíamos arreglado lejos de la carretera (estábamos al inicio de la primavera de ese año, la ruta no estaba bien demarcada y no había sido muy transitada hasta entonces). Habíamos pedaleado por unas tres o cuatro horas antes de reconocer colectivamente que estábamos perdidos y que sólo nos quedaban unas pocas horas de luz diurna. Habíamos agotado casi toda el agua y nuestras provisiones de comida y no estábamos seguros si deberíamos acampar en la noche o si deberíamos intentar regresar al punto del que habíamos partido cuatro días atrás.

Hasta ese momento, yo había estado feliz con sólo seguir al grupo e ir con la corriente. La falta de sueño, el temor y no tener suficientes provisiones, así como la sensación de sentirnos perdidos empezaron a tener sus efectos en el grupo. Yo empecé a sentir la incomodidad entre los muchachos y estos empezaron a recriminarse entre sí. Nadie parecía tener claro qué hacer y todos tenían opiniones diferentes sobre lo que se necesitaba hacer para poder salir del apuro en el que nos encontrábamos. Teníamos un mapa —pero nos habíamos desviado tanto de la ruta que ni siquiera sabíamos exactamente dónde estábamos en relación con las señales.

Por extraño que parezca, yo tenía una noción bastante fuerte del sitio en el que nos encontrábamos y de lo que debíamos hacer para regresar. No tengo idea del porqué, pero el terreno parecía ser bastante familiar para mí. Me tomó un rato convencer a los muchachos que necesitábamos regresarnos un par de kilómetros para llegar a donde yo pensaba que nos habíamos desviado de la ruta. Yo no tenía ninguna experiencia de navegación con un mapa y sé que mis compañeros estaban muy escépticos respecto a seguir mis instintos intuitivos. Pero en el punto en el que estábamos, no teníamos muchas opciones, y teníamos que actuar sin delación. Afortunadamente mi presentimiento era correcto y, de hecho, encontramos nuestra ruta justo antes de que el sol se ocultara. Aunque nos tomó varias horas regresar a los vehículos, nos sentimos muy felices de haberlo logrado.

Hasta el presente, no tengo ni la menor idea de cómo pude lograr guiar al grupo para salir del apuro. Para ser honesta, si no nos hubiéramos perdido, no habría estado completamente segura de haber prestado atención a dónde estábamos. Sólo sé que en ese momento de adversidad, descubrí que tenía una habilidad que nunca antes sabía que poseía. Algo sorprendente es que, desde entonces he viajado a varios destinos alrededor del mundo y siempre he tenido la misteriosa habilidad de encontrar mi ruta de regreso.

Como en el caso de Kieran, descubrí por accidente que tenía una habilidad latente, y desde entonces siempre me ha sido muy útil.

¿Sabía usted...?

En el año 1983, el doctor Howard Gardner, profesor de Educación en la Universidad de Harvard, desarrolló la teoría de las inteligencias múltiples. El profesor Gardner sugirió que medir la inteligencia basándose en el test de IQ era bastante limitado. Gardner propuso ocho tipos de inteligencia para medir el amplio espectro del potencial humano tanto en niños como en adultos:

☞ Inteligencia lingüística (uso del lenguaje)

☞ Inteligencia de lógica matemática (números/razonamiento lógico)

☞ Inteligencia espacial (lógica visual)

☞ Inteligencia kinestésica (movimientos del cuerpo)

☞ Inteligencia musical (armonía musical)

☞ Inteligencia interpersonal (inteligencia social)

☞ Inteligencia intrapersonal (manejo del yo interior)

☞ Inteligencia naturalista (relacionada con la naturaleza)

Recuerdo haber leído sobre un estudio acerca de estas inteligencias donde se les enseñaba a los niños de tal forma que se les estimulaba a través de una serie de habilidades diferentes. Los estudios intentaban determinar si los niños demostraban habilidades innatas en un determinado rango de áreas. En el entorno escolar normal donde el énfasis recae en la lectura, en la escritura y las matemáticas, tales habilidades no serían destacadas ni promovidas. El estudio demostró que todos tenemos diferencias innatas, algo que si se logra determinar de forma temprana, puede resultar de mucho valor posteriormente en la vida. Por ejemplo, hubo una niña que parecía tener la capacidad particular de predecir quién haría amigos en la clase. Ella tenía el tipo de "inteligencia social" y tenía la habilidad de poner a las personas a trabajar juntas de acuerdo a su afinidad y de forma tal que disfrutaban la compañía unos de otros. Conocer tales habilidades es particularmente útil, para por ejemplo, una persona que trabaje en consultoría para contratar personal, o para una agencia matrimonial.

El otro aspecto que Kieran mencionó y que me afectó profundamente fue que "nadie logra nada significativo si no es mediante la ayuda de otras personas". Él habló con extremo orgullo, gratitud y respeto por el papel que su esposa y su familia habían desempeñado en apoyar su carrera y sus logros. Ese comentario, me dejó hondas repercusiones,—fue en el preciso momento en el que escribí el título de este libro, *Sobre los hombros de gigantes,* y un pequeño boceto de varios capítulos—, me senté en el auditorio y escuché el resto de su presentación. De muchas maneras debo este libro a sus palabras de sabiduría llenas de inspiración, ánimo e invitadoras a la reflexión.

Tal vez la adversidad que experimentamos se presente para ayudarnos a revelar nuestros talentos y habilidades singulares. Cada persona es muy diferente, puede aportar diferentes ideas y contribuir de un modo particular. Expandir las experiencias y probar con cosas nuevas constituye una manera genial de descubrir esas habilidades especiales que nos separan de los demás. Es como lo dijo Benjamin Disraeli: "Nada educa mejor que la adversidad".

Cómo incorporar esta sabiduría en su vida

Al igual que la niña en el estudio de Harvard en el que alguien notó las habilidades que tenía, es probable que usted no esté consciente de sus destrezas. Es posible que los matices y los vislumbres de sus talentos estén un poco más escondidos ahora que es adulto.

Una forma de redescubrir esos secretos sobre usted mismo es mediante la aplicación de una prueba psicométrica. Hay muchas para escoger pero algunas de las mejores son las de conducta instintiva, así como las pruebas DISC (dominación/influencia/firmeza/consciencia) y MBTI (Myers-Briggs Type Indicator).

La prueba de la conducta instintiva, como su nombre lo indica, es una herramienta para identificar aquello hacia lo cual estamos inclinados de forma instintiva. Esta prueba nos puede revelar nuestros talentos innatos, vulnerabilidades y es una gran herramienta para el autodescubrimiento. Luego de contestar un cuestionario, se le asigna a uno un código de cuatro dígitos que se relaciona con varias conductas que consisten en verificar, autenticar, completar, improvisar e indicar, nuestro modo de operación. Esta prueba puede ayudarnos a entender mejor nuestra personalidad así como la de otras personas. Los seres humanos son muy diferentes y este método celebra esa diferencia sin encasillarnos en formatos específicos. Más bien ofrece estrategias e ideas sobre cómo desarrollar las habilidades naturales sin tener que dedicar tiempo a aquello que no es muy útil. Este tipo de prueba se concentra en el por qué de sus acciones y constituye una herramienta muy poderosa. La prueba MBTI (Myers Briggs Type Indicator) se enfoca más en el "Cómo". MBTI se concentra en los comportamientos y en cuál es la mejor manera de trabajar con otros, basándose en las características de personalidad. La prueba MBTI se concentra específicamente en la manera como vemos al mundo, en cómo tomamos decisiones y en cómo organizamos las actividades.

La prueba DISC se concentra más en nuestros estilos de comportamiento, así como en nuestras preferencias y puede ser útil en el ámbito del liderazgo. El modelo de comportamiento y de personalidad DISC, se concentra en el comportamiento de uno basándose en cuatro modelos dimensionales —los cuatro cuadrantes ayudan a determinar nuestro perfil (el cual invariablemente tiene una combinación de los cuatro estilos), nos revela detalles sobre el comportamiento y permite mejorar las relaciones interpersonales y la comunicación. Los cuatro cuadrantes son:

Dominación: Estas personas tienden a ser directas, decisivas, independientes y enfocadas en los resultados. Son personas con una voluntad muy fuerte, disfrutan los desafíos y emprenden la acción. Su enfoque suele concentrarse en lo fundamental y en los resultados.

Influencia: Estas personas tienden a ser muy sociales, optimistas y extrovertidas. Prefieren hacer parte un equipo, comparten sus ideas y divierten o energizan a otros.

Firmeza: Estas personas tienden a ser muy buenas para el trabajo en equipo, dan apoyo, son estables, cooperadoras y útiles a otras personas. Prefieren estar detrás de la escena y les cuesta adaptarse al cambio (prefieren trabajar de formas consistentes y predecibles). Con frecuencia saben escuchar a otros y evitan el cambio y el conflicto.

Consciencia: Estas personas con frecuencia son cautelosas y se concentran en los detalles. Planean de antemano, repetidamente revisan la precisión y la calidad y desean saber el "Cómo" y el "Por qué".

Capítulo 15

"La imaginación es más importante que el conocimiento porque este se limita a lo que sabemos y entendemos, mientras que la imaginación encierra al universo entero y a todo lo que alguna vez será descubierto y entendido".

—Albert Einstein

Einstein fue un físico que nació en Alemania. Es famoso por su teoría de la relatividad, y por su ecuación $E = mc^2$. Sus contribuciones a la Ciencia y a la Filosofía nunca podrán ser subestimadas. Einstein dedicó la parte final de su vida a encontrar una teoría de campo unificada. Einstein aseguraba que debía haber una teoría que unificara las leyes conocidas de la Física, tales como la relatividad y la gravedad con el confuso mundo de la Física Cuántica. Sus compañeros científicos consideraban que aquello era una búsqueda sin sentido, no obstante, en la actualidad estamos más cerca que nunca al descubrimiento de dicha teoría.

Si usted mira a su alrededor en este momento, sin importar el lugar donde esté, podrá observar que casi todo lo que hay en el mundo inició primero en la imaginación. La silla en la cual se sienta, la televisión que usted ve en la noche, los electrodomésticos con los que prepara su cena, el automóvil que conduce al trabajo —todo apareció en un principio como un pensamiento en la mente de alguien. Una noción que fue desarrollada, hasta que se convirtió en una realidad.

Einstein nos recuerda que la imaginación es más importante que el conocimiento. Crecemos con ideas y creencias sobre lo que es verdadero y posible basándonos en lo que otras personas nos dijeron. Aceptamos lo que se nos vende como conocimiento sin siquiera cuestionarnos su validez o autenticidad. Y ello se convierte en una forma de definir lo que somos y lo que podemos llegar a hacer, lo cual puede hacerse limitante. Francis Bacon dijo: "El conocimiento es poder", no obstante dicho poder no siempre es positivo.

Si usted considera el "conocimiento" que se da a las personas en un culto, es bastante claro que se puede alterar la realidad de una persona tomando como base la información que se le hace disponible. Hace poco se transmitió por televisión un documental llamado *Strong City* el cual hablaba de un culto en Nuevo México. El líder de este culto es un hombre bastante carismático que ha estructurado a una sociedad para que satisfaga sus necesidades a expensas de otras personas. Este hombre ha predicho el fin del mundo en varias ocasiones, incluyendo el 31 de octubre de 2007. En cada ocasión en que la fecha pasó sin ningún suceso catastrófico el hombre fijó una nueva fecha. Nadie del grupo pensó o cuestionó que sus predicciones nunca se hacían realidad porque en todo momento el hombre controlaba el conocimiento y el significado que le atribuía modificándolo y dándole forma para satisfacer sus propios propósitos. Después de todo este hombre es un dios autoproclamado y él controla lo que sus seguidores creen, piensan y hacen. Hace de su palabra la única "verdad". Él y la colonia entera creían que era la voluntad de Dios que él (a los 67 años de edad) debería tener sexo con las jóvenes vírgenes lo que incluía a la esposa de su propio hijo. A propósito, la fecha más reciente programada para el fin del mundo fue el 15 de diciembre de 2007. No sorprende que la fecha pasara sin ocurrir ningún incidente.

Se puede presenciar ese mismo fenómeno en todo el mundo, y esto a través del uso y manipulación calculado de los medios de comunicación. ¿Cuánto de lo que vemos que aparece en las noticias es cierto? ¿Cuánto de eso es distorsionado para satisfacer las agendas o las demandas de cierta afiliación política?

Una forma de interpretar todo esto es: "El conocimiento es poder", y ese poder puede ser utilizado de forma provechosa o perjudicial. Si usted lo utiliza de forma constante para aprender, fijarse desafíos, crear expandir sus perspectivas, puede resultar bastante liberador. Si usted lo utiliza para aferrarse a un punto de vista, para limitar las perspectivas o para restringir la exploración, podrá hasta dominar a una nación.

La imaginación, por otra parte, no tiene límites. Lo que consideremos posible o imposible no está atado a las limitaciones de nuestras capacidades sino a la claridad de la imagen que podamos visualizar con los ojos de nuestra mente. Dicho de otra forma, cuanto más le exija usted a la vida, esta le dará mayores recursos para lograrlo y hacerlo realidad.

La imaginación en sí misma no tiene límites. Tal vez esa sea la razón por la cual muchas personas teman utilizarla. Es más fácil quedarse satisfecho y cómodo con lo que tenemos, aún cuando aquello no sea lo que deseamos —como dice el dicho: "Es mejor lo malo conocido que lo bueno por conocer".

Para entender un poco mejor lo que envuelve nuestra imaginación, vale la pena darle un vistazo a la jerarquía de necesidades de Maslow. Este sistema fue desarrollado por Abraham Maslow en 1943.

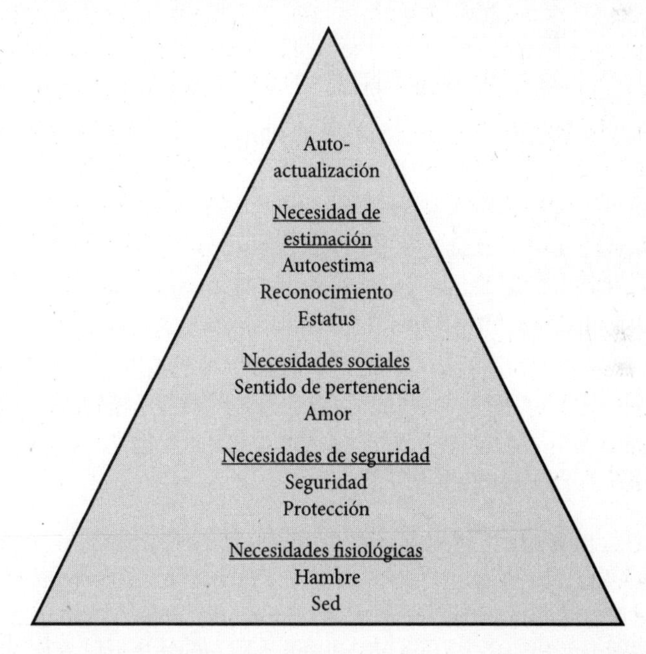

Maslow propuso que todos tenemos ciertas necesidades que buscamos satisfacer. Estudios posteriores expandieron su trabajo y, en un capítulo posterior, hablaremos de la interpretación de Anthony Robbins. Al nivel más básico, tenemos las necesidades fisiológicas, es decir, la necesidad de comer, beber y mantenernos vivos. Después de esas necesidades, anhelamos tener seguridad y protección. Posteriormente, necesitamos tener un sentido de pertenencia y certidumbre, sentido que con frecuencia hace que la gente mantenga relaciones tóxicas o soporte situaciones abusivas. La necesidad de pertenecer a algo, hasta a algo tóxico, es fuerte. Para algunos, la certidumbre de una mala relación les parece algo cómodo.

El siguiente nivel implica la necesidad de reconocimiento, lo cual puede resultar contrario al sentido de pertenencia. Consiste en la motivación humana de querer sobresalir o ser reconocido por su aporte. Todos queremos lograr cosas grandiosas e ir tras nuestros sueños pero no queremos fallar o parecer estúpidos. El deseo de pertenecer y de sobresalir significa que con frecuencia buscamos tener garantías antes de poder sacar la cabeza fuera del parapeto. Pero no hay garantías en la vida, y la calidad de nuestra existencia es directamente proporcional a la cantidad de incertidumbre que estemos dispuestos a soportar.

El significado y el reconocimiento están en el dominio de la imaginación —el sueño que usted tenga de ser quien realmente debe ser. El sueño no es algo de lo cual usted despierte —sino más bien, algo que lo despierta a usted. Observe a los niños pequeños, no olvidan su verdadero potencial, y sin embargo, están llenos de imaginación sobre lo que pueden llegar a ser. Un niño no entiende el concepto de lo posible o lo imposible. Sólo es hasta cuando crecemos y nos hacemos "más sabios" que quedamos atrapados en los bordes de lo artificial, que sirven para darnos un sentido de certidumbre y control pero con muy poco sentido de significado o reconocimiento.

Sin importar la edad que usted tenga, el niño que reside en nosotros todavía existe. Él todavía tiene las esperanzas y los sueños que usted veía tan claramente cuando tenía sólo cinco o seis años. Cuando yo tenía esa edad, había muchas cosas que yo quería llegar a ser —bailarina, campeona de patinaje olímpico, médica, abogada, madre, profesora, viajar por el mundo, escritora y cuidadora de gatos profesional.

Yo sabía que quería hacer la diferencia, viajar y compartir historias y conectarme con las personas a un nivel profundo, pero no tenía ni la más remota idea de cómo podría realizar ese sueño o esa visión en mi vida. He tenido varias carreras —algunas de las cuales han representado un reto a nivel intelectual y me han dado la oportunidad de ganarme la vida exitosamente y conocer el mundo. Pero siempre sentí que era capaz de más cosas —sentía el entusiasmo, la pasión y la obligación de compartir mis experiencias singulares para inspirar a otros de modo que ellos también pudieran ir tras sus sueños.

En una ocasión George Bernard Shaw dijo: "Algunos hombres contemplan las cosas como son y preguntan ¿por qué? Yo sueño cosas que no han ocurrido y pregunto ¿por qué no?" Para mí, de esto es lo que se trata la imaginación.

Cuando Walt Disney imaginó a su pequeño ratón nadie habría imaginado el resultado. Los sueños de Disney han producido una industria que ha visto los efectos especiales del progreso a un paso extraordinario. La imaginación de Disney ha hecho posible que existan parques temáticos, los cuales han deleitado a millones de familias en todo el mundo. Como Einstein dijo: "La imaginación lo es todo. Es la vista por anticipado de las atracciones venideras de la vida". Einstein desarrolló la teoría de la relatividad ejecutando lo que él llamó el experimento de un pensamiento. Él se imaginó viajando en el borde de un haz de luz. Mediante utilizar su imaginación y pensar cómo sería viajar a través de un haz de luz, lo cual, de hecho, es imposible en la vida real, logró obtener una nueva comprensión de lo que le condujo a escribir la teoría de la relatividad.

La imaginación no tiene límites y todas las personas gozan de tener una medida de esta por igual. Uno no necesita tener educación universitaria para utilizar su imaginación. La falta de dinero tampoco puede impedir el uso de la imaginación, ni tampoco las circunstancias sociales ni las condiciones del entorno. Como una mariposa que emerge de su capullo, la imaginación nos permite extender nuestras alas y visualizar aquello que es posible. Combine eso con una insaciable sed de conocimiento e información nueva y se asombrará de todas las cosas de las que puede ser capaz.

¿Sabía usted…?

El libro *Psico-Cibernética* trata sobre desarrollo personal, publicado en 1960 por el doctor Maxwell Maltz, el cual representa 29 años de investigación. La mayoría de los oradores actuales en temas de motivación personal, como Zig Ziglar, Tony Robbins, Brian Tracy y otros, deben muchísimo al doctor Maltz. Ningún otro método de autodesarrollo ha llegado a un número tan sobresaliente como 30 millones de personas, sin prácticamente hacer uso de publicidad y promoción.

El doctor Maltz es un cirujano plástico quien operó a más de 25.000 personas en su carrera. Mediante su bisturí ayudó a muchísima gente. No obstante, algunos de los que él operó nunca notaron la diferencia en su apariencia, ni siquiera cuando el doctor Maltz pudo convertir varios rostros desfigurados en obras de arte. Él reconoció que, adicional a la obra de reconstrucción que se hace afuera, el paciente necesita hacer una obra de reconstrucción en su "interior". Es claro que la gente no se reconocía a sí misma. Ellos contemplaban lo que su imaginación decía que veían en el espejo. Maltz consideraba que la imaginación juega un papel en nuestras vidas muchísimo más importante de lo que nos damos cuenta. Dijo que la imaginación creadora no estaba reservada sólo para los grandes poetas, filósofos e inventores, sino que todos los seres humanos pueden usarla, sentirla y realizar logros en armonía con lo que ellos puedan concebir como cierto respecto a sí mismos y a su entorno.

Esta ley básica sobre la mente no queda mejor evidenciada que en un individuo bajo los efectos del hipnotismo. Si se le dice que está en el polo norte, no sólo empieza a temblar del frío, sino que su piel se le pone como de gallina porque siente un cambio en la temperatura. Dígale a una persona que está hipnotizada que su dedo está tocando un hierro al rojo vivo y esta persona no sólo gritará del dolor, sino que sus sistemas cardiovasculares y linfáticos reaccionarán como si su dedo estuviera tocando el hierro caliente. Es posible que su piel se inflame y aparezcan ampollas sobre esta. Pero todo ello es el resultado de la imaginación.

Cómo incorporar esta sabiduría en su vida

En una ocasión Muhammad Ali dijo: "El hombre que no tiene imaginación no tiene alas". Así que dé a su imaginación alas para volar y conteste las siguientes preguntas...

"Si no se tratara de un asunto de dinero, ¿qué me gustaría hacer en la vida?"

Haga una lista de cinco elementos. Para cada uno dedique algunos momentos a imaginar cómo se vería ese sueño realizado. Envuélvase en la experiencia de que eso pueda llegar a ocurrir. Y recuerde, la mayoría de personas sobreestiman lo que pueden lograr en un año, pero subestiman lo que pueden lograr en diez. Emprenda la acción respecto a uno de estos sueños hoy mismo, y agregue una lectura graciosa que le haga reír. Tan pronto como lo haga, se empezará a disipar toda la energía negativa que tenga. ¡Hágalo hoy mismo!

Capítulo 16

"No contemplamos las cosas como estas en realidad son, las contemplamos de acuerdo a lo que somos nosotros mismos".

—El Talmud

El Talmud es una recopilación de consideraciones sobre la ley, la ética, las costumbres y la historia judía. *El Talmud* se compone de dos partes, la Mishnah (c. 200 EC) la cual es el primer compendio escrito sobre la ley oral del Judaísmo; y la Guemará (c. 500 EC), que consiste en una explicación de la Mishnah y de los escritos tanaíticos. Estos son textos sagrados de importancia significativa para los judíos y otras comunidades.

Un texto sagrado del *Talmud* nos ofrece una perspectiva del pasado que es tan relevante hoy como cuando se escribió. La frase que se cita arriba se refiere a que el mundo exterior no está separado del mundo interior. Tanto que no podemos ver lo que ocurre en el mundo de forma objetiva, sino que nos convertimos en cocreadores.

La forma como percibimos los eventos o interpretamos lo que ocurre nunca se basa en la "verdad", sólo en la verdad personal. Digamos que cierta mañana usted decide revisar su correo antes de ir al trabajo. El primer correo que abre es su extracto mensual de su tarjeta de crédito. Al mirarlo usted se siente decepcionado cuando observa todas las deudas en las que ha incurrido. Con ese marco mental se dirige en su auto hacia el trabajo. Luego alguien le cierra el camino cerca del semáforo y eso añade leña al fuego. Durante el curso de la mañana, usted tiene discusiones por separado con dos de sus colegas.

Eventualmente, luego de una "mañana terrible", usted se dirige a ese pequeño café para intentar olvidarse de todo. Cuando llega allí, se relaja y asume que todo el mundo, incluyendo a sus colegas en el trabajo, debe haberse levantado del lado equivocado de la cama.

Pero todo aquello, no tiene que ver con ellos. No estamos viendo los asuntos como ellos los ven, estamos viendo los asuntos de acuerdo a como nosotros los estamos viendo. Dado que las circunstancias nos han hecho ver las cosas desde la perspectiva negativa escogemos interpretar los diferentes eventos que nos han sucedido desde esa perspectiva. Tal vez la persona que le cerró el camino en la vía iba de afán para el hospital porque su esposa iba a dar a luz. Quizás usted no notó que sus colegas estaban haciendo las cosas con su mejor esfuerzo y no estaban haciendo nada diferente a lo usual. Lo que fue diferente fue usted — usted estaba airado y percibió e interpretó los eventos y situaciones de forma tal que alimentaron su ira.

Con mucha frecuencia pensamos que lo que ocurre en la vida ocurre en el exterior, pero en realidad la mayor parte de cosas ocurre en nuestro interior y eso es lo que proyectamos a través de nuestros pensamientos, palabras y acciones. Y como resultado, no obtenemos lo que deseamos —obtenemos lo que somos en nuestro interior. Si lo que proyectamos es ira y resentimiento, eso es lo que recibiremos de vuelta de parte de ellos.

Ahora consideremos, ¿qué sucede si decidimos borrar porciones potenciales de información positiva para nosotros y decidimos concentrarnos en cosas como la ira, la frustración y las limitaciones?

Es fácil ver la veracidad de lo que nos dice *El Talmud* en la vida de otras personas, que no en nuestra propia vida. Digamos que usted ha salido con algunas amigas y han estado hablando del Reality *Gran hermano.* Una de sus amigas dice: "No me gusta John, es muy arrogante". Alguien más no está de acuerdo y dice que lo que sucede es que John simplemente es tímido e intenta ocultarlo, y otra amiga tiene otra perspectiva totalmente diferente acerca de John. Lo sorprendente es que cada una de sus amigas notó algo acerca de John que en últimas es un reflejo de ellas mismas. Su amiga que notó arrogancia en John probablemente demuestra un poco de arrogancia ella misma. Su amiga que no notó eso, no tiene vestigios de arrogancia pero probablemente es insegura ella misma en ciertas ocasiones.

No es posible ver algo en alguien que no sea parte de uno mismo, y eso puede ser positivo o negativo. Si usted es una persona generosa verá la generosidad de otras personas. Si la generosidad no es su cualidad más sobresaliente, entonces es probable que tienda a pasar por alto los actos de generosidad.

Durante la mayor parte de mi vida adulta me vi a mí misma como una víctima. Estaba tan marcada por las cosas negativas que había experimentado, que no podía ver la diferencia entre mí misma y lo que me había sucedido. Lo que había ocurrido se había convertido en la esencia de lo que yo era, lo cual generaba incapacidad. Literalmente atraía toda clase de situaciones y de personas que como un espejo reflejaban esa visión que yo tenía de mí misma.

Por eso es que pienso que los grupos de apoyo para las víctimas hacen más mal que bien. Poco después de la muerte de mi madre, fui invitada a unirme a un grupo de víctimas de la violencia, el cual fue fundado por una pareja que perdió a su hijo de forma trágica en 1992. El propósito del grupo era darse apoyo mutuo y hacer que el gobierno realizara algunos cambios en el código penal a fin de dar apoyo a las familias dolientes de las víctimas de crímenes.

Sin embargo, cuando nos reuníamos para darnos apoyo y discutíamos las iniciativas, las emociones se agitaban demasiado. Todo el mundo quería hablar y nadie quería escuchar. Con frecuencia se hablaba de la pena de muerte y de la necesidad de que los perpetradores de los crímenes pagaran por ellos. Se hacía demasiado énfasis en los criminales y en que debían "pagar" por sus ofensas, mientras que se hacía muy poco énfasis en que los sobrevivientes reasumieran su vida, pudieran descansar y volver a vivir de nuevo.

Por favor, estén seguros de que yo creo de todo corazón que debe haber consecuencias para las personas que cometen crímenes, pero yo no comparto la idea de que la pena de muerte sea la respuesta. No es la respuesta para la víctima, ni para el criminal, ni tampoco para los sobrevivientes. No creo que se pueda "saldar la deuda" quitando otra vida y a eso agregaría que de ello no resulta que nadie tenga paz mental, ni que haya un cierre definitivo. Es como Ghandi lo expresó en una ocasión: "Ojo por ojo y el mundo terminará ciego". Él nos animó a "odiar el pecado y a amar al pecador" y argumentó que "los débiles no pueden olvidar. El perdón es el atributo de los fuertes".

Tampoco considero que ello tenga un efecto disuasivo efectivo. No se puede parar la guerra con la guerra. No se puede dar fin a la violencia utilizando más violencia. Sencillamente no funciona de esa manera. Debemos cambiar las forma como vemos al mundo y de nuevo, como Ghandi lo señala, "Tenemos que llegar a convertirnos en el cambio que queremos ver en el mundo". Si queremos ver menos violencia, entonces debemos ser menos violentos. Por difícil que esto parezca (y créanme que yo lo encontré difícil) la única manera de cambiar la naturaleza de nuestro mundo es a través de la ecuación del amor y el perdón. Dirigir el odio hacia alguna fuente externa es realmente hacerse daño a sí mismo. Ello obra como un distractor perfecto que enfoque nuestra furia en algo, pero tarde o temprano tendremos que enfrentarnos inexorablemente con el terror, el remordimiento, la vergüenza, la furia y el dolor —y al final, tendremos que olvidar para poder avanzar. Eso no es fácil y todavía lucho con ello, pero sé de corazón que es la única vía de liberación.

Y a pesar que estaba sentada en un cuarto lleno de gente en el grupo de apoyo, con muchas personas que estaban experimentando pérdidas similares o mayores que las mías, nunca salí de una sola de esas reuniones sintiéndome apoyada, entendida o en paz. De hecho, sólo me sentía más abatida y agitada. Con el tiempo, simplemente dejé de asistir. Estaba blandiéndome entre querer hacer la diferencia a través de las leyes y conservar mi sano juicio. Al final decidí conservar mi sano juicio y esa fue la mejor decisión que pude tomar porque me puso en la ruta que conducía a la recuperación.

En el grupo conocí a personas muy agradables pero las circunstancias impedían la recuperación. Con tanto dolor, deseos de venganza y furia en esa sala, no era posible que ninguno de nosotros pudiera ver las cosas como realmente eran, veíamos las cosas reflejando lo que éramos en nuestro interior, y desde esa perspectiva no habían soluciones positivas, amorosas o duraderas.

Con frecuencia nuestras relaciones e interacciones con otros nos dan la oportunidad singular de vernos a nosotros mismos como otros nos ven. Yo no quería continuar en el papel de víctima ni estar en un entorno donde resultaría siendo categorizada de esa manera. Apegarse a esa identidad negativa es un suicidio y eso ciertamente no me ayudaría a encontrar nuevas perspectivas de modo que pudiera encontrar la paz mental y avanzar. Esa es mi preocupación principal con respecto a los grupos de víctimas. Creo que son extremadamente valiosos para hallar a otros que puedan entender verdaderamente el dolor que se experimenta y ofrecer un nivel de aceptación y apoyo que quizás otros no puedan ofrecer. Pero permanecer en ese entorno, y recordar el dolor una y otra vez es contraproducente. Ello puede usarse como trampolín para ayudarnos a reagrupar y volver de vuelta a la vida, no como un lugar para sumirse en sufrimiento mutuo.

Esta idea de conocer quiénes realmente somos es particularmente crucial cuando se trata de encontrar pareja. No sorprende que luego de luchar durante años con el tema del abandono no me sintiera como alguien digna de recibir amor. Y no es una revelación que atrajera a parejas en perspectiva que se deleitaran en obligarme a reforzar esta creencia negativa. Ninguno de estos hombres era una mala persona, simplemente eran almas perdidas que no sabían quiénes eran y que no tenían mucho que aportar a una relación. Con el tiempo me di cuenta que yo misma era un alma perdida y que estaba atrayendo a personas que estaban en la misma condición que yo, no al tipo de personas que yo quería atraer.

Concertar citas es un proceso como cualquier otro y siempre aparece el elemento de ensayo y error; no obstante, cuando uno continúa conociendo al mismo tipo de personas una y otra vez, el único común denominador es uno mismo. Todos conocemos parejas incompatibles potenciales, de modo que continuamos buscando, hasta que descubrimos que todo ello es una clara indicación de que el asunto tiene que ver con nosotros mismos. Todos necesitamos tener relaciones con otras personas no por el simple hecho de querer tener compañerismo y apoyo sino porque aquello nos da la oportunidad única de vernos a nosotros mismos como otros nos ven y para encontrar maneras de resolver nuestros propios asuntos y llegar a ser un todo completo. No somos la mitad de nadie —debemos llegar a ser completos nosotros mismos a fin de poder atraer a otra personas que también sean completas y entonces vivir plenamente.

En mi caso y en primer lugar, tuve que aprender a amarme a mí misma de nuevo. Y lo mismo puede ser cierto de millones de personas en el mundo por causa de una variedad de razones ligadas a sus propias experiencias. Me tomó bastante tiempo entender que yo necesitaba *ser* la clase de persona con la cual me quería casar. Yo había estado buscando todas esas cualidades en otras personas y pensaba que yo debería tenerlas así nada más. Pero el asunto es que necesitaba incorporar esas cualidades en mí misma, desprenderme de la mentalidad de víctima y tomar de nuevo el control de mi vida. Y cuando lo hice, las cosas cambiaron.

Nuestras relaciones externas son siempre un reflejo actual de nuestra relación interna con nosotros mismos. Constituyen una correlación directa con nuestra propia consciencia. Una cosa es sentarse y escribir la meta de querer atraer un compañero con ciertas cualidades, actitudes, valores y creencias específicas. Pero sólo hasta cuando evolucionemos nosotros mismos y nos convirtamos en personas que viven esas cualidades, actitudes, valores y creencias específicas, no lograremos atraer a la persona que queremos. Atraemos todo aquello que nosotros mismos somos y eso puede ser algo realmente difícil de aceptar cuando lo descubrimos por primera vez.

Si usted quiere tener a una gran compañera o compañero, sea usted mismo esa gran persona —¡es tan simple como ello! Conviértase en la persona que quiere atraer y esa persona se sentirá atraída hacia usted.

¿Sabía usted…?

Shakespeare dio en el clavo cuando dijo: "Yo creo que el ser interno protesta demasiado". Con frecuencia quienes más hablan de una característica personal en particular son quienes poseen esa característica ellos mismos. Cuando alguien se muestra muy disgustado respecto a algo o a alguien, usualmente ello es una buena indicación de que esta persona ha visto una réplica inconsciente de sí mismo y que no es de su agrado.

Recuerdo haber visto un show en la televisión sobre un estudio acerca de la homosexualidad. Se hizo una prueba a dos grupos de hombres. El primer grupo no tenía que ver nada con la homosexualidad mientras que el segundo era muy expresivo respecto a que la homosexualidad estaba mal. Se encendieron las cámaras y estos hombres fueron dejados en un cuarto donde había material de lectura y visual sobre homosexualidad. Los que no manifestaron ninguna opinión sobre la homosexualidad y que pensaban que era un asunto de elección personal, no manifestaron ninguna reacción con el material. No obstante, los monitores registraron que quienes profesaban tener una aversión fuerte por la homosexualidad resultaron estimulados sexualmente con el material.

Las indicaciones que ofrecen las personas a nuestro alrededor son una buena forma de darnos cuenta de los cambios que podemos hacer para dejar de atraer a las mismas personas y eventos vez tras vez. Y una vez que podamos discernir nuestro rol en el drama, lograremos romper ese patrón y podremos crear nuevos patrones de conducta. Es como lo expresó William M. Thackeray: "El mundo es un espejo y le permite a todos los hombres ver un reflejo de su propio rostro".

Una palabra de advertencia antes de que cambiemos de tema... lo anterior no constituye una excusa para culpar a otros. Con frecuencia las personas con poco entendimiento de esta idea empiezan a utilizarla como justificación de su propio comportamiento, por ejemplo dicen: "Estás desilusionado porque esto es un espejo de ti mismo". Digamos, por ejemplo, que yo me he comportado mal y que esto causa desilusión en usted. Es posible que haya una parte de mi comportamiento que le parezca a usted desagradablemente familiar porque de alguna manera usted también se siente culpable de lo mismo. O tal vez yo me comporté mal y usted tenga razones justificables para sentirse ofendido por mi forma de actuar. No permita que otros utilicen este recurso para justificar su comportamiento inapropiado. Este concepto nos ofrece la oportunidad de asumir la responsabilidad por nosotros mismos de forma tal que podamos sanar; no es una tarjeta "para salir del atolladero".

Cómo incorporar esta sabiduría en su vida

Cuando usted se sienta enfadado por algo o por alguien, ello puede constituir una buena indicación de que usted ha visto allí, de forma inconsciente, un aspecto de usted mismo que no le guste.

La próxima vez que se encuentre en una reacción que sobrepasa los límites de lo que usted considera usual, pause por un momento y evalúe lo que la otra persona ha hecho. Normalmente esas son ocasiones en las que "la ofensa" no justifica su reacción. Tal vez pueda pensar en situaciones en las que ha reaccionado ante algo y luego haya quedado abochornado o sorprendido porque no comprendió en ese momento la razón de la intensidad de la ocasión. Quizás alguien tomó prestado algo sin preguntar. Quizás alguien dañó algo que usted atesoraba y no demostró ningún remordimiento por lo ocurrido. Entonces pregúntese: "¿Alguna vez he tomado algo prestado sin preguntar? ¿Alguna vez he echado a perder algo valioso que pertenecía a alguien y no lo confesé o expresé mis disculpas?". Tan pronto como usted vea la conexión de los eventos, empezará a sentirse sorprendentemente calmado. Hasta es probable que todo ello le parezca gracioso. Empezará a sentir que emerge una nueva comprensión que lo conduzca a ser más condescendiente con otros en el futuro —habrá aprendido la lección que debía haber aprendido. Exprese sus disculpas a las personas que corresponde, incluido a usted mismo y avance hacia adelante.

Capítulo 17

"No practique hasta que lo haga bien. Practique hasta cuando no se equivoque".
—Anónimo

He escogido esta cita anónima por dos razones. La primera es porque describe perfectamente lo que deseo transmitir, y la segunda es porque es anónima. Algunos de los gigantes en nuestra vida son personas que no conocemos. No existe la forma de llegar a conocer a todas aquellos que tienen una influencia positiva en nuestra vida. Un transeúnte puede comentar lo bien que nos quedan ciertos zapatos, alguien nos sonríe en el tren en una mañana fría —todas estas personas anónimas moldean nuestras experiencias. Nunca debemos subestimar el poder que tenemos de hacer que el día de alguien se haga espléndido.

Consideremos el caso del mejor clavadista de todos los tiempos, Greg Louganis, quien ha sido cuatro veces campeón mundial, medallista de oro cuatro veces en los juegos Panamericanos y ganador de dos medallas dobles de oro por los Estados Unidos en dos juegos olímpicos consecutivos.

Greg fue un verdadero campeón —tenía una figura insuperable y fue el primer clavadista que recibió un diez perfecto en un certamen internacional. No obstante, su ruta hacia el éxito fue lejos de ser fácil. Sufría de dislexia y tenía dificultades para leer y escribir, lo cual le afectó tanto antes como después de su carrera deportiva. Cuando se retiró, se dedicó al teatro y a la danza. Greg logró desarrollar un proceso de visualización, el cual desarrolló en su niñez temprana.

Louganis dice que utilizaba los recuerdos de sus errores —como el de haber golpeado su cabeza en la plataforma de clavado en los olímpicos de 1988— para concentrarse en evitar que volvieran a ocurrir. Su técnica nunca incluyó "imaginar la perfección", lo cual es algo que estimulan muchos entrenadores, sino en imaginar sus errores, de modo que pudiera encontrar la manera de corregirlos. En una entrevista dijo: "Visualizaba lo que pudiera salir mal y la forma como podría corregirse", una técnica que le ha ayudado tanto dentro como fuera del trampolín de salto.

Con frecuencia se nos dice que debemos esperar lo mejor. Pero la vida no es sólo cuestión de actitud positiva. El éxito implica preparación, práctica y trabajo duro.

La vida, tal como hacer clavados, es impredecible. Muy rara vez logramos pisar el mejor punto del trampolín para entrar en el agua de la vida en la posición más perfecta y ejecutar el movimiento que hemos planeado. Con mucha frecuencia tropezamos, nos resbalamos y tambaleamos sólo para descubrir que no tenemos otra opción que intentar arreglar la situación. Como lo dije anteriormente, a veces tenemos que "convertir mierda de pollo en sopa de pollo". Y es en esos momentos de desesperación cuando usualmente alcanzamos nuestros logros más grandes. Experimentamos la crisis, y en ese instante nos estiramos más allá de nuestros límites finitos de probabilidades y habilidades, y nos adentramos en los terrenos de la posibilidad y la inspiración.

Yo comencé a hacer patinaje artístico a la edad de cinco años, y en mi carrera de trece años participé en competencias para damas, en parejas al estilo libre y en baile de parejas. Aún tan temprano como a mediados de la década de 1970 se invertía una gran cantidad de dinero en el entrenamiento mental de los participantes de competencias, lo que incluía entrenamiento sobre visualización. Cuando yo tenía entre 11 y 12 años de edad, fui seleccionada, junto con los mejores patinadores de cada provincia para participar en sesiones de entrenamiento intensivo con los mejores entrenadores de los Estados Unidos y Canadá. Adicional al entrenamiento con lo mejor de lo mejor (uno de mis compañeros, Kurt Browning, llegó a ser indiscutiblemente el mejor patinador que Canadá ha producido, cuatro veces campeón mundial y campeón nacional), se nos daban las mejores técnicas de entrenamiento, meditación y filosofía disponible en su momento.

Bajo el régimen de entrenamiento normal, era bastante común calentar por diez o quince minutos y luego practicar de forma libre. La mayoría de nosotros estábamos acostumbrados a dos o tres horas al día de práctica libre sobre el hielo. Difícilmente alguno de nosotros hizo ejercicios de cardio sobre el hielo, levantamiento de pesas o practicó baile moderno el mismo día de la práctica.

En esa época era muy poco común que una niña de 11 años estuviera lejos de casa en una ciudad desconocida, sujeta a un escrutinio dietético estricto y expuesta a ocho horas de entrenamiento al día. Todavía puedo recordar el primer día —corrimos, nadamos, hicimos levantamiento de pesas y luego dedicamos una hora entera a ejercicios de estiramiento. Cuando entramos a la pista de hielo, la tarde ya estaba bien por terminar y yo ya estaba cansada. Entonces comenzó la diversión: se nos pidió que realizáramos una demostración de lo que sabíamos hacer, mientras los instructores nos observaban y comentaban. Fue absolutamente increíble descubrir cuántos de nosotros simplemente no estábamos preparados.

El día siguiente trajo una sorpresa totalmente nueva. Se nos pidió que realizáramos una muestra de nuestro estilo libre sólo después de un calentamiento de un minuto. De nuevo, esto dejó en evidencia fallas significativas y deficiencias en la preparación de la mayoría del grupo. Muy pocos de los patinadores pudo participar en programas de doble salto, combinaciones difíciles y trabajo complejo, con tan sólo un minuto de calentamiento.

Para mí esta resultó ser una experiencia muy valiosa —tanto desde la perspectiva de mi carrera como patinadora como para la vida misma. Día tras día nos enfrentamos a nuevas formas de hacer las cosas y nuestras habilidades y aguante fueron puestos a prueba hasta el límite bajo condiciones inesperadas. Empezamos a aprender que no se trataba de simplemente aparecer, participar en una sesión o dos y decir que habíamos terminado. Para ser campeón tienes que literalmente estar dispuesto a hacer lo que la mayoría no está dispuesta a hacer —practicar y practicar hasta el momento de no equivocarse.

Como lo dije anteriormente, tuve el privilegio de patinar junto a uno de los mejores patinadores de todos los tiempos. Kurt Browning, técnicamente era un excelente patinador —poseía gran talento, el tipo de cuerpo correcto y era un excelente expositor. Pienso que él habría alcanzado la excelencia bajo cualquier tipo de circunstancias. También hubo otros dos compañeros patinadores en el grupo que técnicamente eran más aventajados, sin embargo, ninguno de ellos logró ganar a nivel nacional o internacional. Así que, ¿qué hizo a Kurt tan especial? ¿Por qué logró él alcanzar la excelencia mientras que otros no?

Lo que hizo de Kurt un campeón fue su increíble persistencia y compromiso con la excelencia. Él logró lo máximo en todos los aspectos —saltos, figuras, giros, exposición y trabajo de piernas— no en sólo uno o dos de estos aspectos. De la misma manera, Kurt no tomaba medidas a medias —era uno de los primeros muchachos en ingresar a la pista y uno de los últimos en salir en la noche. Se sentía orgulloso de lo que hacía y nunca dejaba de intentar nuevas formas de mejorar sus habilidades y su desempeño. Su tenacidad y versatilidad dejaron una profunda impresión en mí. Hacer las cosas bien es sólo la mitad del rompecabezas. Entender qué es lo que está "mal" de modo que se pueda utilizar ese conocimiento para fortalecerse es igual de importante.

Piense por ejemplo, en Muhammad Ali. En la que probablemente haya sido la pelea más anunciada de todos los tiempos, Ali enfrentó a George Foreman quien durante ocho años fue su subalterno. La pelea tendría lugar en el país centroafricano de Zaire, y el evento llegó a ser conocido como "El rugido de la selva". Casi nadie consideraba que el anterior campeón de los pesos pesados pudiera ganar. Foreman había noqueado a Joe Frazier y a Ken Norton en el segundo asalto —luchadores que le habían dado a Ali largas confrontaciones en el cuadrilátero.

Durante el combate, Ali prácticamente se reinventó a sí mismo. Cuando se acercaba la noche, Ali alardeaba de que iba a flotar como una mariposa y usar su agilidad para evitar la salida rápida de Foreman —la táctica que todo el mundo esperaba y que anteriormente le había funcionado. Sin embargo, Ali sorprendió a sus seguidores y al mismo Foreman cuando en el primer asalto empezó a ganar terreno con su golpe de mano derecha. Foreman recibió nueve golpes poderosos en su cabeza durante ese asalto pero permaneció de pie. Luego, Ali cambió su táctica de nuevo y pasó la mayor parte de los asaltos 2-7 en las cuerdas soportando el peso del cuerpo de Foreman y desafiando verbalmente al joven luchador. Ali sabía que Foreman había ganado 37 de sus 40 peleas anteriores por nocaut, la mayoría de estas en los primeros tres asaltos, y sospechaba que Foreman no tendría suficiente fuerza para pelear más de siete u ocho asaltos.

Allí Ali vio una oportunidad de vencer a Foreman y capitalizó sobre esta premisa. Hacia el final del séptimo asalto, Foreman estaba exhausto. En el octavo asalto, Ali revivió y contraatacó con puños directos a la cabeza de Foreman, los cuales hicieron que este cayera en la lona. La táctica de Ali de sostenerse en las cuerdas y absorber los golpes fue más tarde acuñada como "el dopaje de la cuerda". Hasta el presente se le considera una táctica peligrosa y una forma de impedir la derrota. Y una prueba de que las tácticas funcionan.

De ese modo, Ali reconquistó el título de los pesos pesados a la edad de 32 años y llegó a considerársele el atleta del siglo, según la revista *QC Magazine*, así como el deportista del siglo según la revista *Sport Illustrated*.

Ali fue un deportista asombroso y un estratega astuto. Él sabía que Foreman lo había superado en las categorías de talla, velocidad y habilidad. Sin embargo, él comprendió muy bien las fortalezas y las debilidades propias y aplicó este conocimiento de forma sabia para poder ganar. Indiscutiblemente, el mejor "boxeador" no ganó ese día. No obstante, pocos pudieran sostener que Ali ganó con justicia y de ese modo le probó al mundo que cuando se tiene la voluntad de un campeón, se pueden superar hasta los obstáculos más difíciles.

¿Sabía usted...?

Apodado "El grande", el patinador sobre hielo Wayne Gretzky fue considerado "el mejor jugador de todos los tiempos". Fijó 40 récords en una temporada regular, 15 récords de desempate, seis récords de gran estrella, ganó cuatro copas Stanley con el equipo Edmonton Oilers, ganó nueve premios MVP y diez títulos de mejor anotador. Es el único jugador que anotó 200 puntos en una temporada y lo hizo cuatro veces en su carrera. Se atribuye la supremacía de Gretzky durante su carrera a la cantidad de tiempo que dedicó a practicar. Muchos lo consideraron un prodigio natural en el deporte. Tenía un excelente lanzamiento, maniobraba el disco de forma asombrosa, nunca se rendía y jugaba bien en la defensa o como delantero.

Ahora bien, en términos de atributos atléticos, Gretzky no sobresalía. A sus 18 años en 1979 como novato, su estatura era de 1.80m, y pesaba 78 kilos. Al principio de su carrera en la NHL muchos críticos consideraban que Gretzky era "demasiado pequeño, muy tieso y lento como para hacer carrera en la NHL". Por otra parte, él no tenía rival en su sagacidad para leer el juego, para anticipar dónde iba a estar el disco y moverse acertadamente en el momento debido. Se le conoció por el dicho: "Yo patino hacia donde va a estar el disco, no hacia donde está".

Cómo incorporar esta sabiduría en su vida

Hacer planes respecto a lo que se desea es tan sólo una parte de la solución. Si uno va a hacer una presentación en el trabajo tiene sentido prepararse bien. Es bueno practicar la presentación frente a grupos de personas variados a fin de tener retroalimentación y detectar las debilidades. No obstante, también es buena idea pensar en todas las cosas que no podrían funcionar, y hacer planes para superarlas. Hágase las peores preguntas posibles, de modo que pueda tener listas las respuestas; de seguro, van a surgir.

De esa manera usted estará tan bien preparado ante las posibles eventualidades, que la confianza adicional que sienta como resultado hará que logre un mejor desempeño. ¿Por qué? Porque usted preparó y practicó hasta el punto de estar seguro de no equivocarse.

Capítulo 18

"Si vas en pos de tu felicidad, se te abrirán puertas que nunca estarán abiertas para nadie más".
—Joseph Cambell

Joseph Campbell estudió durante toda su vida el comportamiento humano y la mitología. Su creencia fundamental consistía en que todo tipo de espiritualidad es una búsqueda de algún tipo de fuerza elemental que en su naturaleza es "imposible conocer" porque existe antes de las palabras y del conocimiento. Las metáforas y los mitos constituyen una herramienta poderosa para entender cosas que de muchas maneras son difíciles de entender. De acuerdo a Campbell, las religiones del mundo son justamente varias máscaras de la misma verdad básica y trascendental. Campbell murió en 1987 luego de una batalla corta contra el cáncer, no obstante, fue uno de los pocos pensadores serios que fueron acogidos por la cultura popular.

En sus entrevistas con Bill Moyers sobre el libro *El poder del mito*, las cuales fueron registradas poco antes de su muerte, Campbell dijo: "Si vas en pos de tu felicidad, te pones en una clase de camino que ha estado allí, esperando por ti, y vas a estar viviendo como se supone que debes vivir".

Desde entonces, la frase —ve en pos de tu felicidad— ha sido utilizada excesivamente por el movimiento del desarrollo personal. Ha sido utilizada para justificar toda clase de búsquedas sin sentido así como la autoindulgencia.

Pero eso no es lo que Campbell intentaba transmitir. Él siempre estuvo interesado en señalar que ir en pos de nuestro sueño no significaba hacer lo que quisiéramos en el momento en que lo quisiéramos. Se trataba de identificar la búsqueda que más nos apasionara y de entregarse a ella de lleno.

Cuando logramos hacer eso, estamos en posición de alcanzar nuestro máximo potencial para servir a la humanidad.

En sanscrito, el idioma más espiritual del mundo, hay tres términos que representan el borde de donde se salta al océano de lo trascendente: sat-chit-ananda. "Sat", significa ser, "Chit", significa consciencia, y "Ananda" significa felicidad o éxtasis. Campbell dijo: "Yo no sé si mi consciencia es la consciencia apropiada o no; yo no sé si lo que sé sobre mi ser sea mi ser apropiado o no; pero sí sé muy bien cómo consigo el éxtasis. Así que permítanme experimentarlo y eso me permitirá experimentar mi consciencia y mi ser". Al considerar la gran contribución que Campbell hizo en su área, parece que su teoría funcionó en su propia vida.

Esta idea de ir en pos de la felicidad es de muchas maneras lógica y a la vez mítica. Si hay algo que nos apasiona, ese algo se convierte en uno de nuestros pensamientos dominantes y nuestra biología interna se programa para detectarlo en nuestro radar. Como resultado, nuestro cerebro se asegura que cualquier cosa en relación con que esa pasión sea notada automáticamente por nuestra mente.

Yo pienso que todo el mundo experimenta esa noción de felicidad en diferentes aspectos y en diferentes áreas de la vida. Para mí, mi recolección más temprana de esta conexión se remonta a mis primeros años con mi abuela materna en su cocina y en su jardín cuando yo tenía tres o cuatro años de edad. Por aquellos días éramos inseparables —mi abuela cuidaba de mí durante el día mientras mis padres trabajaban, y yo literalmente pasaba el día observándola y copiando todo lo que ella hacía. Era una cocinera increíble —todo lo preparaba desde cero con ingredientes frescos y el toque mágico de mi abuela.

Ella horneaba pasteles y hacía empanadas mientras yo la miraba atentamente. Siempre me daba mi propia harina y yo la amasaba por horas en la mesa con mi pequeño rodillo. Terminaba cubierta de harina hasta las orejas. Mi abuela también hacía mermelada casera, jugo de tomate, rollitos de vegetales, preparaba remolacha, pepinillos en eneldo, y muchísimas otras cosas que ahora compramos listas para usar en el supermercado. Tal vez estas cosas sean más convenientes ahora pero ciertamente no saben tan bien como las de mi abuela.

En el verano, solía sentarme por horas en el jardín en una pequeña silla blanca de madera. Mi abuela recogía arvejas tiernas, zanahorias, rábanos y tomates de su jardín, los lavaba con una manguera que había del lado del garaje y me los daba para comer. Yo me sentaba allí por horas a comer vegetales mientras observaba los pájaros y las mariposas, y hablaba con mi abuela mientras ella deshierbaba, regaba y atendía las flores de su jardín. Aquel era tiempo de calidad —yo desarrollé un vínculo muy estrecho con ella y verdadero aprecio por su pasión por las plantas, por cocinar y cuidar de otros.

De hecho, yo no soy una chef o una jardinera profesional pero siempre he tenido la habilidad natural de organizar las cosas en la cocina. Como mi abuela, tengo el sentido de qué cosas van juntas y rara vez siento la necesidad de medir o consultar los libros de cocina. Para mí, cocinar para otros es un verdadero privilegio y algo que me apasiona. Cuando estoy en mi cocina preparando algo para los invitados, me siento totalmente conectada al mismo estado de felicidad de cuando era niña y cuando cocinaba con mi abuela.

Al pasar de los años, he sido lo suficientemente afortunada de experimentar el mismo estado de felicidad en varias ocasiones, entre estos pudiera mencionar, ejecutar Swan Lake con algunos de los bailarines principales de la compañía de ballet real de Winnipeg, enseñar a un niño a patinar, ofrecerme como voluntaria para organizar una teletón de caridad, iniciar mi propio negocio, decorar un ambiente, hacer artesanías y mudarme a Australia.

La felicidad es mucho más que simplemente ir tras una profesión que encaje con nuestra personalidad, implica alcanzar nuestro potencial más alto. Pienso que es algo bastante amplio. Para mí es hacer aquello que me dicta mi corazón —y eso aplica a todos los aspectos de mi vida.

Para el tiempo en el que decidí mudarme a Australia, verdaderamente di un salto de fe. Todavía no tenía un trabajo, un hogar o una red de apoyo para establecerme en el país. Sin embargo, de alguna manera, sentí verdadera pasión de ir tras mi sueño y tener un nuevo comienzo. Yo ya había estado de vacaciones antes en el país y había sentido una afinidad instantánea con el lugar y con su gente. Sentí que estaba destinada a vivir en Melbourne —¡y eso fue un total acierto!

Me trasladé tan sólo ocho días después de tomar mi decisión y todo encajó en su sitio cuando llegué al país. Las puertas se abrieron y las oportunidades surgieron de forma tal que aquello no hubiera sido posible si hubiera permanecido en Canadá. Sorprendentemente estaba calmada y confiada respecto a todo —el trabajo, los amigos, el lugar donde vivir— todo encajó en su lugar sin esfuerzos y sin contratiempos.

Al mirar atrás, me asombra el hecho de que todo encajó perfectamente y de forma fluida. Existía un número infinito de situaciones que pudieran haber resultado mal, y muchísimos aspectos que se pudieron haber frustrado si no hubiera sido por el hecho de que confié en mi intuición y fui en pos de mi sueño. Y aún cuando, mediante la práctica, estoy mejorando cada vez más respecto a confiar en mi ser interior, todavía de vez en cuando lucho con ello. Es fácil caer presa de la preocupación respecto a todo lo que podrían salir mal, e intentar buscar garantías externas y "señales" de que todo puede funcionar. No obstante, las palabras del poeta David Whytem nos recuerdan: "A veces todo tiene que estar inscrito en el firmamento de modo que podamos encontrar la línea que ya ha sido escrita dentro de nosotros".

Esta experiencia y muchas otras me han enseñado que estoy en el lugar en el que se supone que debería estar. Tengo un gran aprecio y profundo respeto por la sabiduría de mi propia intuición, y he aprendido que es mejor conectarse con la voz interior que consultar 100 opiniones externas. Mirando en retrospectiva, no logro pensar en siquiera una sola vez que mi intuición me haya hecho equivocar —por el contrario, he tendido a meterme en problemas cuando de forma deliberada he intentado actuar en contra de mi instinto inmediato.

Sólo cada persona puede encontrar su verdadero camino. La respuesta ya está en el interior de cada uno. Es muy probable que esas respuestas hayan estado intentando llamar su atención por años. No cometa el error de mirar a otros porque ellos sólo podrán compartir su verdad basándose en aquello que han intentado y en lo que han fallado en relación con su propia vida. Adicionalmente, tan pronto como usted se conecte y vaya en pos de su sueño, se abrirán las puertas y se presentarán las oportunidades que simplemente no estarán disponibles para nadie más.

¿Sabía usted...?

Joseph Campbell también creía en el poder de la coincidencia como algo que apuntaba en dirección a la felicidad y que se reafirmaba cuando uno estaba en el sitio en el que debía estar. En una ocasión Campbell contó la siguiente historia en un seminario que estaba presentando en el Instituto Esalen:

"Sucede que nosotros vivimos en la ciudad de Nueva York, en el piso 14 de un edificio residencial en Waverly Place en la sexta avenida. Lo último que usted esperaría ver en la ciudad de Nueva York sería una mantis religiosa. Este insecto juega el papel de héroe en el folclore de la tribu Bushman. Y yo estaba leyendo sobre la mitología Bushman —y todo lo relacionado con la mantis religiosa. La habitación en la que estaba haciendo la lectura tiene dos ventanas; una de las cuales da a la sexta avenida, la otra da al río Hudson. Esta es la ventana por la que yo abro todo el tiempo. No creo que haya abierto la ventana de la sexta avenida más de dos veces en los cuarenta y tantos años que he vivido en ese lugar.

Estaba leyendo sobre la mantis religiosa —el héroe— y de repente sentí el impulso de abrir la ventana que da a la sexta avenida. La abrí y miré fuera hacia la derecha y allí había una mantis religiosa caminando por el edificio. Allí estaba, ¡justo en el borde de mi ventana! Era de este tamaño [Campbell hizo un gesto indicando el tamaño con su mano]; el insecto me miró y su rostro se parecía al rostro de un hombre de la tribu Bushman. ¡Aquello hizo que se me pusiera la carne de gallina! Usted probablemente diga que esto fue una coincidencia, ¿pero cuántas posibilidades hay de que algo así ocurra por mera casualidad?"

Quizás las coincidencias sean la forma en que el universo te da palmaditas en la espalda y te dice: *"Bien hecho, vas por buen camino"*. Quizás sean las indicaciones cósmicas de estar en la ruta correcta cuando vamos en pos de nuestra felicidad.

Cómo incorporar esta sabiduría en su vida

¿Ha experimentado alguna vez que ha estado trabajando en algo y ha perdido la noción del tiempo? Las horas pasan como si fueran minutos y usted está totalmente inmerso en lo que hace. Este estado se conoce como el "flujo" y es una buena indicación de que uno ha encontrado aquello que lo hace feliz.

Piense en las experiencias de su vida y registre por escrito cinco ocasiones en las que ha perdido la noción del tiempo. Evalúe todas las situaciones y averigüe qué características comunes se presentaron en cada situación. Estar conscientes de esos momentos nos permite hallar el común denominador de modo que uno pueda descubrir qué es aquello que lo hace feliz. Ese estado de dicha no tiene porqué ser algo como pintar o escribir o alguna actividad relacionada con el trabajo. Puede ser el tiempo que uno dedica a meditar o a interactuar con otras personas.

Capítulo 19

"Sus limitaciones y su éxito con frecuencia se basan en las propias expectativas que usted tiene respecto a sí mismo. Espere lo mejor, tenga planes para enfrentar lo peor y prepárese para ser sorprendido".

—Denis Waitley

Denis Waitley es uno de los autores más respetados de América en el tema del logro humano. Con ventas que superan los 10 millones de programas de audio en 14 idiomas, Waitley es una de las voces más escuchadas en temas de desarrollo personal y profesional. Es el autor de 15 libros que incluyen varios bestsellers internacionales, *Seeds of Greatness, Being the Best, The Winner's Edge, The Joy of Working* y *Empires of the Mind.* Waitley es graduado de la Academia Naval de los Estados Unidos en Annapolis, fue piloto de de la escuela naval y tiene un título de doctorado en comportamiento humano.

Nuestros pensamientos, valores, creencias y actitudes, representan nuestras expectativas. De forma colectiva, tales expectativas ejercen una poderosa influencia en nuestros resultados. Por ejemplo, si usted va a una entrevista de trabajo, pero no espera conseguirlo, todo lo relacionado con usted va a conspirar para producir ese resultado. Si usted no espera conseguir el trabajo, no se asegurará de llegar a tiempo. Tampoco hará el esfuerzo extra para presentar una apariencia impactante. Y no estará muy concentrado en la entrevista para hacer su mejor parte. Del mismo modo, no se demostrará entusiasmo genuino respecto al puesto y su falta de interés se hará evidente. Si no espera conseguir el trabajo usted no va a realizar investigación respecto a su posición en perspectiva dentro de la compañía para intentar determinar lo que ellos necesitan. Tampoco preparará preguntas de antemano para participar en un proceso de dos vías. Ahora bien, con esto no estoy diciendo que si usted manifiesta expectación confiada en que va a conseguir el puesto de seguro va a ser contratado. Lo que estoy diciendo es que si usted no espera ser contratado, no hay manera de demostrar que está equivocado.

Con frecuencia nuestras expectativas respecto a nosotros mismos son atenuadas por nuestras derrotas tempranas. Es difícil fallar y regresar para intentarlo de nuevo. Llega a ser fácil no hacer la mejor parte de uno —entonces al menos podremos encoger nuestros hombros y decir que realmente no lo queríamos. ¿No es así?

Sin embargo, cuando actuamos así, a la única persona que estamos engañando es a nosotros mismos.

¿Sabía usted...?

En una ocasión Richard Bach dijo: "*Si quieres ganar, debes esperar ganar*". Y ¡vaya que él lo sabía! Richard Bach es famoso por su bestseller *Juan Salvador Gaviota* publicado en la década de 1970. A pesar que este libro contiene menos de 10.000 palabras, rompió todos los récord de ventas de un libro de pasta dura, sólo superado por *Lo que el viento se llevó*, vendiendo más de 30 millones de copias. Lo que hizo a esta hazaña aún más sobresaliente es que el libro *Juan Salvador Gaviota* fue rechazado por 26 editoriales. Pero Bach nunca se dio por vencido, siempre confió en que una editorial compartiera su entusiasmo por el libro. Al final, la editorial número 27, Macmillan Publishing, dijo "Sí".

Robert Fulgrum escribió un libro bastante inteligente, el cual llegó a ser un bestseller del New York Times titulado *Todo lo que realmente necesitaba saber, lo aprendí en el jardín de infantes*. En este libro Robert expone anécdotas de la vida y explica lo mucho que se puede aprender de los pequeños detalles. Yo estoy de acuerdo con Robert respecto a que en el jardín infantil aprendemos a establecer nuestras expectativas, así como las verdades elementales. Las lecciones pueden parecer simples, pero las implicaciones para la vida son verdaderamente profundas. Lecciones como —no golpees a las personas, limpia tu propio desorden, pide perdón cuando lastimes a alguien, no te escondas demasiado, es bueno ser encontrado.

De muchas maneras la escuela es un microcosmos para la vida. Yo me siento afortunada porque tuve un buen desempeño escolar. La escuela representaba un lugar seguro, donde me sentía tranquila, estimulada y competente. Sin embargo, para cuando empecé a cursar el grado séptimo las cosas empezaron a complicarse. Acababa de entrar en la secundaria y mis padres sufrían un agonizante divorcio. Mi cuerpo estaba experimentando los cambios de la adolescencia y mis hormonas parecían una montaña rusa. Todo eso era la receta del desastre. Recuerdo que necesitaba más atención de la que estaba recibiendo y me sentía bastante frustrada y confundida respecto a todos los cambios que estaba experimentando en mi vida. Naturalmente mi caos interior estaba atrayendo el caos exterior bajo el disfraz de nuevas amigas quienes también estaban experimentando cambios y problemas.

Pero básicamente todas nosotras éramos buenas chicas, sólo que un tanto traviesas. Recuerdo que cierto día me topé con las respuestas de las pruebas de Ciencia de todo el año en el área del laboratorio. Copié las respuestas y las distribuí a ocho de mis compañeras más cercanas. Basta con decir que a varias de nosotras nos fue bastante bien en Ciencias ese semestre.

Pero sucedió que los profesores lo averiguaron o alguien nos delató ante el principal. Al día siguiente recuerdo que mi profesor de inglés, el señor Sept me pidió que fuera al patio principal con él. Yo esperaba recibir una reprimenda —el señor Sept era uno de los profesores más severos e intimidantes de la escuela. No era un hombre que hiciera halagos a la ligera. Los estudiantes tenían que ganarse su respeto. A mí me importaba mucho lo que él pensara —siempre hacía mi mejor esfuerzo en las asignaciones para su clase y siempre atesoraba cada palabra de retroalimentación que me daba.

La actriz estadounidense Patricia Neal dijo en una ocasión: "Un profesor puede decirnos lo que espera de nosotros. Un maestro, sin embargo, despierta nuestras propias expectativas". El señor Sept fue esa clase de maestro para mí.

Cuando me llevó al patio central, hizo algo que me tomó completamente por sorpresa. En vez de reprenderme o hacerme sentir vergüenza, me abrió sus oídos para que le contara lo que estaba pasando en mi vida. Me dijo que yo había obtenido la nota más alta en cada una de las asignaturas del grado séptimo. Él sabía que yo no necesitaba las respuestas de ningún test en ninguna materia, y quería saber por qué lo había hecho. Sin importar lo que yo dijera, él ya sabía la respuesta —o por lo menos sospecho eso por la reacción que tuvo. No creo que se sorprendiera mucho cuando estallé en llanto y le dije que lo que yo quería era simplemente la aceptación de los otros jóvenes y que quería que mis padres se reconciliaran.

Entonces el señor Sept dijo algo ese día que lo recordaré por el resto de mi vida: "Yo creo que tú puedes llegar a ser cualquier cosa que te propongas y estoy muy orgulloso de ti y de lo que ya has logrado hasta este momento".

Hasta el día de hoy, yo no sé si el señor Sept entendió completamente lo que estaba sucediendo en mi vida, y no estoy segura de si él comprendió la magnitud del regalo que me dio aquel día. Recuerdo ese suceso como si hubiera sido ayer, suceso que me afectó de la forma más profunda. A pesar de mi comportamiento, él no me dio otra cosa sino su apoyo incondicional. Aquello fue una experiencia nueva para mí en muchos sentidos, ya que con frecuencia sentía que el amor y el apoyo de mis padres era condicional dependiendo de mi desempeño. Mis padres siempre esperaban de mí un buen resultado y se desilusionaban cuando no lo lograba. De hecho, pronto descubrí que la única forma de obtener su atención en cualquier asunto era pifiarse —especialmente en medio del divorcio.

Con el ánimo que recibía continuamente de parte del señor Sept y su convicción de que yo podía recuperar la pequeña chispa de confianza que tenía en mí, aunque un poco apagada por las circunstancias, desarrollé verdadera pasión y curiosidad por la lectura y la escritura. No tengo la menor duda que esta nueva pasión descubierta benefició mi desempeño académico durante mi vida escolar y en últimas en las elecciones que hice respecto a mi carrera.

Después de eso no vi mucho al señor Sept luego de completar el grado séptimo. Continué creciendo, me mudé de aquella ciudad y me ocupé en vivir mi vida. La siguiente vez que lo vi fue durante una semana que regresé a la ciudad para asistir a dos funerales —el de mi madre y el del hermano de mi mejor amiga. Para ese tiempo, el señor Sept ya no trabajaba enseñando, trabajaba para la agencia funeraria. Cuando yo asistí al segundo funeral esa semana, el señor Sept estaba presente. Hablamos brevemente y me expresó sus condolencias. Le conté que justo acababa de terminar en la Escuela de Leyes y que había conseguido un puesto en la mejor firma de abogados de la ciudad. El señor Sept me miró y me dijo: "No me sorprende, yo sabía que podrías lograr cualquier cosa que te propusieras".

A veces encontramos profesores y maestros quienes no fijan las expectativas demasiado altas respecto a nuestro desempeño académico y respecto a nuestro futuro. El señor Sept hizo exactamente lo contrario conmigo. Fijó expectativas tan altas que estas me obligaron a aplicarme y a vivir a la altura de sus expectativas. Y al hacerlo, me enseñó una de las lecciones más importantes de mi vida y es que nuestras limitaciones y nuestro éxito se basan en las expectativas que fijamos para con nosotros mismos.

No se logra mucho cuando uno se compara con quienes lo rodean. La única medida real del éxito es cuánto logramos respecto a lo que nosotros mismos tenemos la potencialidad de llegar a alcanzar. Aprender a esperar lo mejor de uno mismo y exigirse mejora continua puede tener efectos significativos en nuestro destino a largo plazo. Si con constancia exigimos más de nosotros mismos, logrando progresos incrementales en nuestro propio pensamiento, en nuestras propias expectativas y por ende en nuestros propios resultados, podremos lograr avances significativos a largo plazo. Roma no fue construida en un solo día, ¡tampoco nosotros! Así que olvidémonos de lo que otros piensen de nosotros, olvídese de lo que usted haya esperado anteriormente acerca de sí mismo y aumente sus expectativas. Compita con su propio máximo personal, cuando lo haga, sus metas se extenderán ante usted como un lienzo. Y recuerde esto: sin importar lo que esté pasando en su mundo, espere lo mejor, tenga planes para enfrentar lo peor y prepárese para ser sorprendido.

Cómo incorporar esta sabiduría en su vida

Como ocurre con muchas cosas que realmente importan en la vida, el desafío y las expectativas, a buen grado corresponden al orden de lo inconsciente. Hay algunas situaciones en las que uno se muestra preocupado respecto a su desenlace, pero ciertamente eso no es algo que posibilite conseguir un resultado positivo. No obstante, es aún más difícil conseguir dicho resultado cuando las expectativas de uno son bajas y ni siquiera somos conscientes de ello.

Lo primero que se debe hacer es interpretar un juego de roles en la situación que se esté experimentando. Imagínese el mejor resultado positivo una y otra vez. Por ejemplo, digamos que usted está haciendo una presentación importante en su trabajo. Haga un juego de roles de la presentación. Ensáyela en privado y ante otras personas. Imagine todas las preguntas posibles que se puedan plantear de modo que pueda estar preparado por si estas surgen. Ensayar lo que pueda suceder e imaginar el mejor resultado posible producirá un efecto positivo en los resultados y le dará la confianza de hacer la mejor presentación posible.

Capítulo 20

"Cuando las expectativas personales se reducen a cero, verdaderamente llegamos a apreciar lo que tenemos".
—Stephen Hawking

Stephen Hawking es un físico teórico británico cuyo trabajo se ha centrado en estudiar las leyes básicas que gobiernan el universo. Junto con Roger Penrose ha demostrado que la teoría general de la relatividad de Einstein, que implica el tiempo y el espacio, tuvo un principio en el Big Bang y un final en los agujeros negros. Eso significa que Einstein estaba en lo correcto respecto a que debe haber una teoría unificada que podría unir a la teoría de la relatividad general con la teoría cuántica, el otro gran adelanto científico de la primera mitad del siglo XX. A la edad de 21 años, a Hawking se le diagnosticó una enfermedad neuronal motriz, una enfermedad degenerativa progresiva y debilitante de los músculos.

Complementando el capítulo anterior, esta cita pudiera parecer contradictoria a simple vista. Después de todo, estuve citando a Denis Waitley, quien decía que nuestros resultados en buena medida dependen de nuestras expectativas respecto de esos mismos resultados. Si lo que esperamos es fallar incrementamos exponencialmente las posibilidades de fracaso. Por lo contrario, si nuestra expectativa es la de ganar incrementamos nuestras posibilidades de ganar al mismo grado.

Stephen Hawking también está hablando de las expectativas, sólo que su enfoque está basado en la gratitud. Hawking es sin lugar a dudas una de las mentes más brillantes de nuestros tiempos, y sin embargo, nació en un cuerpo que se fue debilitando progresivamente hasta el punto en el que ya no puede hablar sino a través de un sintetizador de voz y ha estado confinado a una silla de ruedas durante la mayor parte de su vida adulta.

Hablando de su discapacidad dice: "Comprender que tenía una enfermedad incurable, la cual probablemente me llevaría a la muerte en pocos años tuvo un gran impacto en mí. ¿Cómo podía pasarme esto a mí? ¿Cómo es que podría llegar a morir de esta forma? Sin embargo, mientras estuve en el hospital, vi a un joven en la cama de al lado del que vagamente supe que murió de leucemia. Eso no es nada agradable. Claramente pude ver que habían personas en circunstancias peores que las mías. Al menos mi condición no me hace sentir enfermo. Desde entonces, cuando me siento inclinado a compadecerme de mí mismo, recuerdo a ese joven".

A eso es exactamente a lo que se refiere Hawking cuando habla de no tener expectativas. Su cuerpo ha degenerado tanto respecto a lo que puede hacer por sí mismo que sus expectativas se han reducido a cero. No obstante, todavía se las arregla para hacer una contribución significativa al mundo. Hasta el presente ha vivido plenamente y lleno de propósitos; tiene tres hijos y todavía se mantiene activo en la búsqueda de una teoría unificadora.

Las situaciones no siempre son justas y no me puedo imaginar lo frustrante que debe ser tener una mente tan activa y brillante como la de él y no estar en condiciones de hablar. Pero no se supone que la vida tiene que ser justa y nadie dijo que debía ser así. La incapacidad física no ha impedido que Hawking viva con plenitud.

En mi propia vida es fácil para mí caer en sentimientos de soledad, tristeza y desespero. En particular. hay ciertas épocas del año en las que siento, como si fuera ayer, la desolación que me causa la pérdida de mi madre.

Las épocas tradicionalmente familiares como Navidad, el día de la madre, la pascua y los cumpleaños son particularmente difíciles. Con todo, a mi alrededor hay personas verdaderamente extraordinarias y me siento consolada y fortalecida por las cosas maravillosas que he vivido. Estoy residiendo en uno de los países más maravillosos del mundo. Me siento agradecida por la oportunidad de haber creado un negocio apasionante y me siento privilegiada por las amistades que tengo y la felicidad con la que todas esas personas colman mi mundo.

Y mientras estoy aquí, sentada escribiendo este capítulo en la época de vacaciones, recuerdo vívidamente a la mujer que conocí en el año 2007, Violet Li, cuyo viaje ha sido una verdadera inspiración para mí. La muerte es una parte inevitable de la vida. Todos moriremos en algún momento; esa es la gran verdad del hombre. Sin embargo, esa inevitabilidad nunca hace de la partida algo fácil o que el dolor sea menos agudo. Cuanto más amamos, más duele. El único consuelo que hallamos es saber que el dolor de alguna manera vale la pena —porque si no hubiéramos amado tanto en un principio, nuestros corazones no dolerían tanto con la pérdida.

Yo he tenido algunas pérdidas en el transcurso de mi vida y puedo asegurarles que el hecho de que pase el tiempo no lo hace más fácil. A veces me siento empeorar al decir adiós y despedirme, no mejor. Violet Li, sin embargo, es una mujer verdaderamente asombrosa y ha sido para mí una gran fuente de inspiración en este aspecto.

Ella ha pasado por tantas cosas y ha soportado tantas pérdidas, y sin embargo, tiene tal valor y tal fortaleza que harían avergonzarse a la mayoría de personas. A la edad de tan sólo 10 años perdió a su madre. En 1999, a la edad de 29 años quedó parapléjica a causa de un accidente automovilístico el cual también cobró la vida de su novio, y poco después, en el año 2000, perdió a su hermano y a su padre debido a un tumor y a un cáncer respectivamente.

Y a pesar de sus terribles dificultades y de las privaciones de la incapacidad física, Violet no es una mujer sin esperanza y sin propósito en la vida. Es una de las mujeres más generosas, talentosas y hermosas que he conocido en la vida. Ella ha podido seguir adelante con su vida —conoció y se casó con su adorable esposo Boris y es una exitosa consultora de imagen en lo que se conoce como "La costa de oro" (Australia). Lo que más me asombra de ella es su habilidad de apreciar y ser verdaderamente agradecida por lo que tiene, en vez de concentrarse en aquello que no tiene.

¿Sabía usted…?

Einstein decía "gracias" por lo menos 100 veces al día. Solía agradecer a los científicos que vivieron antes de él; agradecía porque sus contribuciones le permitieron lograr mucho más en su vida.

Wayne Dyer también habla sobre la importancia de la gratitud en su libro *Manifieste su destino*. La gratitud es una actitud de agradecimiento que se manifiesta aun cuando las cosas no salen como se esperaba. Nunca sabremos todas las relaciones causa —efecto que se entretejen en nuestra vida y cómo se entreteje nuestra vida misma en la vida de otras personas. La gratitud tiene que ver con sentirse agradecido por lo que se tiene, proviene del hecho de que aunque no siempre conseguimos lo que queremos, siempre podemos conseguir lo que necesitamos para poder crecer y desarrollarnos.

Es imposible atraer aquellas cosas que se quieren en la vida si uno no es agradecido con lo que ya tiene. Se dice que el entero es más que la suma de sus partes. La gratitud, de muchas maneras se asemeja a eso —no es lo que se diga, aunque las palabras cuentan, sino más bien, la suma de las palabras junto con la emoción de corazón detrás de ellas.

Piense en esto: cuando perdemos a alguien a quien amamos, sufrimos una desilusión, o somos ofendidos por alguien, tendemos a enfurecernos, nos quejamos con cualquiera que esté dispuesto a escuchar o intentamos vengarnos. Sin embargo, como sucede con una moneda, cada emoción tiene un lado opuesto e igual. ¿Se ha detenido a pensar en el lado opuesto de una emoción negativa que usted o alguien más ha experimentado? Esas emociones negativas o sus lados opuestos cumplen un propósito muy importante porque se convierten en un catalizador y en el mecanismo para crecer como individuos; para hacernos más flexibles, para volvernos más tolerantes, para desarrollar coraje, y ejercer creatividad para aumentar la comprensión de nosotros mismos y del mundo que nos rodea.

En todo caso, nunca parecemos estar dispuestos a enfrentar los obstáculos y los desafíos con entusiasmo, excitación y anticipación. Si lo hiciéramos, nuestros amigos pensarían que estamos locos. Pero el lado oculto de muchas de estas dificultades y lecciones de la vida es que se presentan con un propósito superior en mira o para traer un bien mayor. El autor británico GK Chesterton dijo una vez: "No liberes al camello de la carga en su joroba, de otro modo lo estarás liberando de ser un camello".

Yo sólo puedo hablar de mi caso. Mirando en retrospectiva, ha habido muchas ocasiones en las que le he pedido a Dios que me libere de mis propias cargas y dificultades. Pero si el tiempo pudiera volver atrás y yo hubiera sido liberada de mis penalidades, ¿sería la misma persona que soy hoy? Es difícil decir con un buen grado de asertividad si la otra yo, sin la joroba, sería mejor o peor. Pero puedo decir con convicción, que no sería YO. Por más que deseara que las circunstancias fueran diferentes, puedo aceptar que mediante las experiencias dolosas de mi vida he sido esculpida y formada de forma mucho más elocuente que mediante cualquier solución fácil o milagro divino. De forma irónica, le debería mi más profunda gratitud a cada dificultad y desafío que he enfrentado, ya que todos estas pruebas son las que han moldeado mi carácter.

Sin ninguna duda, una de las lecciones más poderosas que he aprendido en mi viaje, es la del poder de la gratitud, la cual no es algo que se expresa una sola vez. Es algo que necesita hacer parte del tejido de nuestra vida diaria —algo que hacemos consistentemente y de corazón. Eso significa que debemos recordarnos a nosotros mismos todas y cada una de las buenas cosas que tenemos. El simple proceso de buscar y encontrar lo positivo a pesar de cualquier cosa negativa que pueda existir, significará que no tomaremos los dones y las bendiciones y los daremos por hechos. Y eso nos traerá aún mucho más de lo que podamos desear.

Cómo incorporar esta sabiduría en su vida

Haga de la gratitud un "ritual", es decir, algo que usted haga constantemente y enriquezca su vida. Piense en algo que haga de forma rutinaria una y otra vez —recoger las llaves de su auto, acariciar a su perro o a su gato, amarrarse los zapatos, encender o apagar la luz, imprimir un documento en la oficina, ir a la cocina. Lo ideal es que esa actividad sea algo que usted hace con frecuencia pero que no necesite concentrarse de modo que pueda crear su "ritual" despreocupadamente. Una vez haya seleccionado la actividad, cree el "ritual" de verbalizar tres cosas por las cuales usted está agradecido, cada vez que usted toque el objeto o haga la rutina. Escoja tres cosas diferentes durante el día por las cuales está agradecido.

Este simple cambio en sus hábitos logrará dos efectos: (1) cambiará su perspectiva durante el día, dándole un mejor estado mental positivo y (2) su mente subconsciente empezará a concentrarse y a filtrar aquello por lo cual usted está agradecido y deseará hacerlo en los demás ámbitos de su vida, como algo opuesto a querer expresar quejas por las dificultades que enfrente.

El proceso de ser agradecido por todo lo que uno ya tiene puede ser extrapolado y utilizado en el contexto de fijarse metas. Atrás en el capítulo 10, usted se fijó algunas metas. Y como parte de ese proceso, terminamos cada meta diciendo: "Doy gracias a la abundancia del universo por estos dones maravillosos que me ha concedido, por la salud, por la abundancia y el bienestar obtenidos". Cuando usted manifiesta aprecio y da gracias como si ya hubiese alcanzado la meta, usted le está dando una señal fuerte a su subconsciente de que ya la ha alcanzado. La meta entonces es algo que no se alcanzará en el futuro, se puede alcanzar en el aquí y en el ahora. Y puesto que su mente subconsciente sólo puede actuar en aquello que cree que es verdadero (sin importar si ya se ha alcanzado o no), usted habrá intervenido en la parte más poderosa de su cerebro para atraer a las personas, los recursos, los eventos y las oportunidades necesarias para hacer que esa meta dé frutos de forma rápida y fácil.

Capítulo 21

"Retire la causa, y el efecto dejará de existir".
—Miguel de Cervantes

Miguel de Cervantes fue un novelista, poeta y dramaturgo español. Se le considera uno de los personajes más influyentes de la Literatura y una figura destacada en la floreciente cultura del siglo XVI en España. Se considera que su novela, Don Quijote, traducida a más de 65 idiomas, colocó el fundamento de la Literatura occidental clásica, y figura como una de las mejores novelas de todos los tiempos.

En la vida o tenemos resultados o tenemos excusas. No hay punto medio. Si a uno no le gustan los resultados que ha obtenido hasta el momento, necesita hacer una de dos cosas: (1) encontrar una razón o excusa para explicar el porqué, o (2) cambiar su comportamiento para producir un resultado diferente. Dicho de otra forma, usted es el efecto o la causa de todo lo que pasa en su vida.

Si lo que hacemos es señalar razones, (personas o circunstancias sobre las cuales no tenemos control) significa que nos hemos dado por vencidos y que no tenemos esperanzas de cambiar nuestras circunstancias. Con frecuencia decimos cosas como —Yo no puedo perder peso porque mi esposo e hijos comen demasiada comida chatarra. Yo no puedo alcanzar el éxito porque soy demasiado viejo para intentar algo nuevo. Mi negocio fracasó porque mis empleados no trabajaron lo suficientemente duro, Perdí el examen porque la sala estaba muy acalorada y yo me puse demasiado nervioso, No puedo comenzar un nuevo negocio porque la economía va mal. Yo no puedo dejar de fumar porque mi esposo se fuma dos cajetillas al día, etc. —¿Le suena familiar alguna de estas frases? Buscar justificaciones de porqué las cosas no funcionan es un ejercicio infructífero —nunca permitirá que usted obtenga los resultados que desea porque se concentra en la razón en vez de encontrar una solución al desafío planteado.

Cuando miramos las causas en vez de las razones, las cosas se ven desde otra perspectiva. No hay fracaso, sólo resultados. Esencialmente significa que nunca tendremos una excusa de nuevo. Suena frívolo, ¿no es así? Al principio es causa de rubor. Ese es un trago demasiado difícil de pasar para la mayoría de personas.

Cuando hablamos de examinar las causas no estamos hablando de culparse o patearse a sí mismo por los desaciertos que se han tenido en la vida —estamos hablando de controlar y de, sistemáticamente eliminar las explicaciones y las excusas que se interponen en el camino para conseguir los resultados que se desean. Y recuerde, las excusas pueden venir en la forma de emociones negativas, estados mentales, creencias limitantes, culpa, justificaciones externas, conflicto de valores, o actitudes que simplemente no son de ninguna ayuda.

De cierto modo, yo creo que todos escogemos o creamos todo aquello que existe en nuestro mundo. Como las creencias, esta teoría no puede ser probada o negada —simplemente es algo por lo cual yo he elegido regir mi vida. En realidad no importa si concordamos con ello o no, el punto en cuestión es que lo que usted crea sólo importa hasta el punto en el que influya directamente en los resultados. De modo que, si usted no está obteniendo los resultados que desea, ¿por qué no cambia en aquello que cree y ve si se alteran los resultados? Lo que usted cree produce resultados, buenos o malos. Los resultados que se obtienen nos respaldan y nos dan confianza o hacen que nos retraigamos en nuestra habilidad para interactuar con el mundo. Si lo que usted cree en la actualidad no le está empoderando para producir de forma consistente aquello que usted desea obtener en la vida, ¿no será este el tiempo apropiado para cambiar?

En mi sistema de creencias, yo creo y atraigo todo en mi mundo. Y eso es cierto, aún cuando obtenga los resultados que no quiera. La buena noticia al respecto es que yo puedo "deshacer" lo que he creado, y re-escoger lo que elija, mediante mi actuar o mediante no hacer nada. Ese proceso de deshacer o de reescoger es bastante sencillo. Consiste en eliminar sistemáticamente las razones y las excusas. Yo puedo reconfigurar y recrear el mundo de acuerdo a mis sueños y a mi imaginación.

Los años que transcurrieron luego de la muerte de mi madre fueron una época muy oscura para mí —culpaba a los demás por mi depresión y por mi mala salud, me sentía furiosa, me sentía engañada, deje de avanzar hacia adelante. Dedicaba mi tiempo a buscar las razones por las que todo ello me había sucedido y me mantenía a distancia de los demás porque me sentía avergonzada por lo que había ocurrido con mi familia.

¿Sabía usted...?

Todos hemos escuchado el concepto del Karma —cosechamos lo que sembramos, conseguimos lo que damos. Todo lo que hacemos en la vida tiene consecuencias que tendremos que pagar en algún punto de nuestra evolución. Ninguna deuda queda sin pagarse en el universo, y por lo tanto, es imperativo que aprendamos a reevaluar nuestras decisiones a la luz de esta información. Si nos comportamos mal con alguien, tendremos que pagar un precio comparativo por ese comportamiento. Cuando aprendemos a reaccionar no mediante respuestas condicionadas sino que tomamos control consciente de las decisiones y acciones que tomamos, nos aseguramos de aprender las lecciones que debemos aprender de forma tal que podamos avanzar en vez de repetirlas en un ciclo continuo.

En su asombroso libro *La aventura del autodescubrimiento* el doctor Stanislav Grof, anterior jefe de Psiquiatría e Investigación en el Centro de Investigación Psiquiátrico de Maryland, nos habla de la presencia de un vínculo entre el perdón y el karma. Él identificó que los individuos con frecuencia señalan a un protagonista en sus vidas como el directo responsable de sus problemas y que abrigan resentimiento para con esa persona. Lo sorprendente, sin embargo, es que una vez que el individuo hace una resolución y asume su parte en responsabilidad de la situación y perdona a la persona, algo milagroso ocurre en ambas partes. Parece que de manera tangible la idea de la pequeña alma en el sol es real y no metafórica. Dos almas habían hecho un pacto para enseñarse algo la una a la otra, y una vez que una de ellas era capaz de asumir su parte en responsabilidad (aun cuando no entendieran el patrón kármico), lograban entender la lección y avanzar tanto de forma espiritual como emocional.

Grof se propuso verificar estos hallazgos y logró demostrar que cuando una persona hace un avance significativo en términos de perdón y asume su parte de responsabilidad en la situación, ocurre un cambio dramático no sólo en esa persona sino también en el "protagonista" —aun cuando estuvieran separados miles de kilómetros el uno del otro. El tiempo de estos eventos de transformación con frecuencia sólo difería en minutos, lo que señala a algún tipo de comunicación donde hay entendimiento mutuo de que alguna deuda karmica ha sido cancelada. Tanto la "víctima" como el "protagonista" pueden avanzar de forma milagrosa en sus vidas.

¿Yo me siento muy afortunada de descubrir que hay una razón para todas las cosas —aun aquellas que parecen incomprensibles y absurdas— y que de algún modo, todos tenemos que aprender a confiar que hay un gran cuadro, que quizás nosotros como seres humanos nunca podamos comprender completamente. La expresión más hermosa de esta idea la leí en un libro para niños titulado *La pequeña alma y el sol*, escrito por Neil Donald Walsh (autor del libro *Conversaciones con Dios*). En la historia Walsh nos habla de una pequeña alma que quiere ser encarnada como ser humano a fin de poder aprender el "perdón". Un alma amigable concuerda en ayudarle a encarnarse en una persona y en hacer algo que le va a ayudar a aprender la lección del perdón. No obstante, el alma amigable emite una palabra de advertencia y dice: "En el instante en el que te deje caer, prométeme que vas a recordar quién soy en realidad, un alma amigable y amorosa, de otro modo, estaremos condenados a repetir el proceso una y otra vez hasta que logremos el aprendizaje o hasta que otra pequeña alma venga y nos ayude a encontrar la salida".

En otras palabas todo lo que sucede en nuestra vida —lo bueno, lo malo y lo feo es el resultado de un acuerdo que se ha hecho en algún punto en nuestra existencia a fin de experimentar ciertas cosas de forma que podamos ser mejores seres humanos y a fin de que podamos avanzar hacia la siguiente lección. En algún nivel, todos estamos haciendo nuestra mejor parte con los recursos que creemos que tenemos disponibles. Todo es una experiencia de aprendizaje y si lo vemos desde esa perspectiva podemos ser facultados para crear el mundo a semejanza de nuestros sueños y de la imaginación más ambiciosa. Aún la cosa más absurda ocurre por una razón. No hay fracaso, sólo resultados. No es un asunto de culparse a sí mismo o lacerarse a sí mismo —es un asunto de ser responsable de nuestros actos y de decidir cómo avanzar hacia adelante para atraer los resultados que queremos.

Culpar a otros —aun cuando eso pueda ser legítimo— nos quita el impulso. No nos ayuda a avanzar —es una pérdida completa de tiempo y de emociones. Ponga eso en el pasado y busque la manera de que no se vuelva a repetir. Perdone con la ayuda de otras personas —pero recuerde, usted y sólo usted es el responsable de su vida, así que vaya a la cancha y batee la bola. Como lo expresó en una ocasión Wayne Gretzky: "Uno pierde el 100% de los saques que nunca hace".

La vida no cambia —nosotros sí. La única forma de lograr el cambio que queremos ver en el mundo es asumiendo nuestra responsabilidad por la vida que queremos llevar. Sin importar los sucesos y las circunstancias que hayan ocurrido, no existen respuestas con presentar excusas.

Mirando en retrospectiva, el perdón ha sido uno de los temas más importantes de mi vida. He tenido que enfrentarlo en varios contextos, durante mi niñez, mi adolescencia y en mi vida adulta. Ha habido muchos dolores y quejas que he llevado por décadas y todavía tengo algunos con los cuales lucho para superar. Sé que estos me ligan al pasado como si se tratara del cordón umbilical que liga al bebé no nacido con su madre.

He encontrado que es difícil perdonar. Quizás no esté sola en esto. Hay días en los que no puedo decidir a quién es más difícil perdonar, ¿a otros o a mí misma? No tengo dudas de que aprendo despacio y mi vida me ha suministrado de forma paciente una lección tras otra de que puedo ser "perdonadora".

Tal vez nunca olvide lo que sucedió, pero estoy segura de que todos podemos avanzar hacia más adelante y crear una vida de propósito y de significado mediante convertirnos en la causa de todo en nuestras vidas en vez de tener que ser simplemente el efecto de la vida. Y la única pregunta que usted necesitará hacerse es: ¿Lo que creo en este momento me permite vivir como realmente deseo? Si no es así, haga el cambio hoy mismo. ¡Ya ha esperado demasiado tiempo!

Cómo incorporar esta sabiduría en su vida

Si en el presente usted está viviendo con los efectos en cualquier aspecto de su vida, deberá determinar cuál es la causa. Si los efectos no son lo que usted desea, encontrar la causa subyacente le dará las fuerzas necesarias para cambiar su mundo. Como Cervantes acertadamente conjeturó: "Elimine la causa y el efecto dejará de existir".

Aprenda a ser un maestro del giro. En los últimos años una de la cosas más prácticas para pronunciarse en la política tiene que ver con el arte de hacer giros. Girar esencialmente es reempacar la verdad para encontrarle el beneficio a una historia negativa.

Si funciona en la política, ¿por qué no aplicarlo a la vida? La próxima vez que usted se encuentre bajo los efectos de algo negativo, imagine que es el presidente del país y que necesita dar un comunicado de prensa sobre lo que ha sucedido y que debe darle un vuelco para que parezca que usted está a cargo de la situación. Una vez que usted haya encontrado el giro que funcione —aun cuando lo que consiga sea hacerlo reír o parezca descabellado o imposible— aplíquelo a la situación y avance. Póngase del lado de la causa en la ecuación, o saque algo positivo de la situación, y haga los cambios necesarios ahora mismo de modo que pueda atraer los resultados que desea alcanzar.

Capítulo 22

" 'Vengan hacia el borde', decimos nosotros. 'Tenemos miedo', dicen ellos. 'Vengan hacia el borde', insistimos nosotros, y entonces vienen. Y ellos miran y nosotros los empujamos. Y ellos vuelan. Nosotros permanecemos en nuestras camas y morimos. De cualquier forma ellos van y mueren, sin embargo, inspiran a los que vienen detrás y se acercan al borde. Y vuelan".

—Guillaume Apollinaire

Guillaume Apollinaire fue un poeta y escritor francés. Entre los poetas reconocidos en los inicios del siglo XX, se le acredita haber acuñado la palabra surrealismo. Apollinaire escribió un manifiesto optimista titulado *El nuevo espíritu y los poetas*, el cual constituye parte de su legado. En este poema él habla de la creencia universal de la exploración científica y en la necesidad de investigar lo más grande y lo más pequeño. Apollinaire sostenía: "La concepción alterada del mundo necesariamente traerá ideas nuevas y medios nuevos de expresión, rompiendo con la tradición anticuada". También sostenía que los artistas deberían hacer uso de la realidad, la cual supera a la "ficción".

A veces nos sentimos coaccionados a ir hasta el borde donde se nos empuja o vagamos inconscientes hasta allí para ver qué pasa. Cualquiera de esas dos opciones es buena —al momento en el que nuestros pies abandonan la seguridad del acantilado, siempre descubriremos que tenemos alas para volar.

Mi primera experiencia de esto fue el resultado de un empleo de medio tiempo en el que vendía zapatos en un centro comercial a la edad de 14 años. Ese trabajo me condujo a otro de medio tiempo en Hudson Bay Company (HBC) donde hice parte del Bay Teen Council (Concilio de adolescentes de Bay). Esta organización se formó para dar a un selecto grupo de jovencitas la oportunidad de aprender técnicas de modelaje, participar en actividades comunitarias y trabajar en varias posiciones de la compañía.

Yo tuve la fortuna de ser promovida a la oficina de servicio financiero donde se me dio la oportunidad de aprender nuevas habilidades y asumir responsabilidades significativas. El gerente general de la tienda, Rod Turnbull, fue bastante amable conmigo. Él era el presidente del Club Rotatorio local y fue a través de él que tuve la oportunidad de ir a la universidad durante un año a Hokkaido, Japón, en 1984.

En aquel entonces yo no sabía ni una sola palabra de japonés, pero estaba absolutamente comprometida en ir al intercambio. No tenía idea de la magnitud de lo que había emprendido hasta que aterricé en Japón, completamente exhausta, luego de 24 horas de viaje. La ciudad donde fui a vivir era casi idéntica en tamaño a la ciudad de donde yo provenía y era muy similar en términos de clima. Alberta y Hokkaido son provincias hermanas. Yo no sabía para ese momento que era la única residente extranjera en la ciudad. A veces veía a algunos misioneros y visitantes pero ellos no residían permanentemente en Eniwa.

Con alrededor de 1.70 m de estatura, cabello rubio, y ojos azules, sobresalía entre la multitud. No podía ir a ningún sitio sin causar conmoción. La gente me seguía, tocaban mi pelo o simplemente se quedaban mirándome. Hasta ir al salón de belleza para un corte de cabello se convirtió en noticia local. De hecho, algunos de los residentes, nunca habían visto a un extranjero en toda su vida. Sin embargo, mi apariencia física llamativa era mi menor preocupación —yo no hablaba una sola palabra de japonés, y la mayoría de los residentes no hablaban inglés. Al menos no de manera fluida. Mi programa de inmersión empezó de inmediato. Comencé a estudiar el primer día y fui asediada por otros estudiantes. Eran extremadamente amables pero todos querían estar cerca de mí y tocar mi cabello e impresionarme con su dominio del inglés diciendo "esto es un bolígrafo". Nada más, sólo eso, "esto es un bolígrafo", una y otra vez. Aquello fue muy enternecedor. De inmediato reconocí que tenía que aprender el idioma si quería salir adelante.

La región resultó ser bastante húmeda y caliente —no dejó de llover durante mi primera semana de estadía. Recuerdo muy bien esos primeros días. Especialmente el momento en que me di cuenta que estaba a merced de mí misma. Se me había empujado fuera del nido y empecé a sentir la sensación de ir cayendo; mi corazón comenzó a acelerarse y rápidamente me di cuenta de que era el momento de extender las alas. Y sucedió en un instante… mis alas se extendieron y ello fue la sensación más suave y natural. Me sentí increíblemente segura y a salvo a pesar de que era la primera vez que estaba lejos de Norteamérica. Estaba sola en un país, donde el aspecto de todos era muy diferente, donde el idioma era distinto y donde no podía entender cómo al estar comiendo pescado crudo me sentía como si estuviera en casa.

Cuando pienso en ello, me alegra que no supe cómo iba a ser todo antes de subirme al avión. Estoy bastante segura de que si lo hubiera sabido, nunca habría viajado y eso hubiera significado que me habría perdido de una de las experiencias que más atesoro.

No había ninguna duda de que estaba volando por mí misma y de algún modo eso era exactamente lo que necesitaba para conocer mi espíritu y elevarme con las águilas en una aventura por la vida. Yo estaba totalmente decidida a llevar a cabo ese sueño y no había vuelta atrás. Rod Turnbull me había llevado al borde y me había empujado para volar.

Y en un abrir y cerrar de ojos, expresiones como "yo no sabía" o "yo no conocía" tuvieron todo el significado para mí. Me sumergí en la nueva cultura, en su historia, en su mística y en su magnificencia. Abrí mi mente y mi corazón a un pueblo y a una cultura que eran diametralmente opuestos a todo lo que había conocido antes. Mis anfitriones; familia, amigos, profesores, los miembros del Club Rotatorio, y la comunidad en general, me acogieron con cariño, comprensión, curiosidad, estímulo, apoyo y generosidad como nunca antes lo había experimentado. Siento la mayor gratitud, respeto y cariño por todas y cada una de las personas que me rodearon durante esos doce memorables meses. Tuve una oportunidad única de conocer el país, experimentar sus tradiciones (la ceremonia del té, los arreglos florales, el Koto, la danza tradicional, la cocina), aprender el idioma y conocer de primera mano la verdadera esencia de la gente.

Sin lugar a dudas, esta experiencia a la edad de 17 años me dejó una impresión imborrable en mi corazón y en mi alma. La oportunidad de dar un salto de fe y sentir el viento bajo mis alas me ha permitido permanecer fuerte y firme a pesar de las tormentas y tempestades que tuve que soportar en etapas posteriores.

A veces es mejor no saber qué es lo que uno va a encontrar a la vuelta de la esquina... si lo supiéramos, tal vez nunca daríamos el siguiente paso. Pero Apollinaire tenía razón —volamos. Aunque temamos que hemos de golpear el suelo a 200 kilómetros por hora, de algún modo, algo en nuestro interior nos dice que sabía que todo iba a ser diferente desde ese momento en adelante.

Cuando me ocurrió esta maravillosa experiencia, en 1984, jamás había escuchado de Apollinaire y de sus palabras famosas, y supongo que eso no importa, porque aprendí a volar como los demás. Sorprendentemente, vendría un tiempo años después, en 1993, donde yo necesitaba oír desesperadamente esas palabras y llegar hasta mi propio borde para que pudiera volar de nuevo.

¿Sabía usted...?

De acuerdo a las leyes de la aerodinámica y teniendo en cuenta su peso, el abejorro no debería poder volar. Afortunadamente, nadie le dijo eso al abejorro, así que puede volar tres metros por segundo, batiendo sus alas 130 veces. Las únicas leyes que él conoce son las de la polinización. Este hecho ha sido bien documentado en el folclor de la autoayuda, pero es verdaderamente cierto.

Es posible que esta historia primero haya sido conocida en Alemania en la década de 1930. Cierta tarde durante una cena, un prominente estudioso de la aerodinámica estaba hablando con un biólogo, quien le hizo una pregunta sobre el vuelo de los abejorros. Para contestar la pregunta del biólogo, el ingeniero hizo un cálculo rápido en su servilleta. Estimó el peso del ala del abejorro y la extensión de su superficie, también consideró el levante generado por el ala. No sorprendía que fuera insuficiente. Uno sólo tiene que mirar el cuerpo redondeado del abejorro en relación con sus alas para darse cuenta que en teoría debería tener problemas.

El asunto es que el abejorro puede volar y quizás lo más importante es que siempre hay una diferencia entre el "objeto" y el modelo matemático de tal "objeto". Y a pesar de que el vuelo del abejorro sea un misterio, nos enseña que todos podemos extender nuestras alas y volar.

En el año 1993, Gary Kovacs me mostró las palabras de Apollinaire en un libro que ocupa un lugar especial en mi corazón — *Todo lo que realmente necesitaba saber, lo aprendí en el jardín de infantes* escrito por Robert Fulgrum. Aquel fue un día importante para mí —fue la fecha en que fui admitida en la Sociedad de abogados de Alberta. No obstante, fue un día de emociones encontradas. Justo un año antes había muerto mi madre. Fue el año de la primera vez, y no precisamente el año que uno quiera recordar. Tuve que soportar mi primera vez del día de la madre, de mi primera Navidad, de mi primer cumpleaños, de mi primer día de Acción de gracias, mi graduación de la universidad, todo sin mi madre.

Yo quería sentirme feliz y orgullosa y guardar las apariencias con todos los invitados ese día. Muchos viajaron grandes distancias para apoyarme ese día y demostrarme su amor y aprecio, y estoy sinceramente agradecida por todo ello. Pero para ser honesta, en mi interior estaba luchando para poder soportarlo. Yo no quería estar ahí y ciertamente no me sentía con el ánimo de celebrar —simplemente iba en la dirección que iba la multitud. Para mí esta ceremonia, y mi vida misma, se habían vuelto en muchos sentidos en una simple formalidad. Algo que hacía porque lo tenía que hacer. Pero había perdido el deseo de volar... estaba tan asustada de dejar el nido por temor de caer y de perder a algún otro ser amado. Me refugié en la seguridad de lo conocido —de mi soledad donde tenía alguna ilusión de certidumbre y protección.

Después algunos invitados vinieron a casa para una pequeña cena. Yo esperaba que todos se fueran un rato después pero la celebración fue cobrando fuerza. Gary, como siempre, se convirtió en el alma de la fiesta y puso a prueba la capacidad del equipo de estéreo. Convirtió mi sala en una pista de baile —empezó a bailar y a cantar a todo pulmón. Bajo otras circunstancias, probablemente yo le hubiera secundado y hubiera echado una cana al aire. Pero hacía mucho tiempo que había dejado de tener ganas de sonreír, de bailar y de celebrar.

Intenté hacer todo lo posible porque se detuviera —me sentí terriblemente enojada e indignada por su comportamiento. Sólo quería que se detuviera y que se fuera para su casa. No podía creer lo insensible que había sido con mis sentimientos. Pero él sabía exactamente lo que yo estaba sintiendo, siempre lo sabía. Tenía la extraordinaria habilidad de entender lo que estaba sucediendo y de poner su dedo en la llaga. En esa época él me conocía bastante bien, probablemente más de lo que yo me conocía a mí misma. Era increíblemente perceptivo y no se aprovechaba de eso. Yo confiaba en él implícitamente.

Me llevó fuera, lejos de los demás para tener una conversación privada. Sacó una tarjeta especial que había escrito para mí en esa ocasión —una tarjeta con palabras especiales de apoyo y estímulo junto con la famosa cita de Apollinaire:

"Ellos vienen, y miran, y nosotros empujamos. Y vuelan. Nosotros permanecemos en nuestras camas y morimos. De cualquier forma ellos van y mueren, sin embargo, inspiran a los que vienen detrás y se acercan al borde. Y vuelan".

Y dijo: "Cuando estaba sentado allí en la corte hoy me sentí bastante orgulloso de lo que has logrado. Cuando escuché al juez Rooke hacer un recuento de tu viaje —especialmente durante los últimos 14 meses los cuales han sido bastante difíciles. Miré a mi alrededor en la sala y me quedé con la inmensa impresión de que habías sido la inspiración para muchos con tu valor y tenacidad. La chica que conocí antes que todo esto sucediera no se sentaba en las orillas, con el estéreo a un volumen 'moderado' viendo pasar el mundo a su lado. No tenía miedo de ser lastimada, asumía riesgos y volaba con las águilas. Y vendrá el día, muy pronto, cuando de nuevo estés en el borde. Y yo empujaré y tú volaras".

Y él tenía razón. Viene un punto en la vida de todos cuando es el momento de dejar de llorar y de preocuparse y de comenzar a vivir de nuevo. Si hay algo que la vida me ha enseñado, es que sin importar de lo que haya sucedido en el pasado o del lugar donde uno se encuentre en el presente, "nunca es tarde para volar".

Cómo incorporar esta sabiduría en su vida

Al menos una vez al año haga algo que nunca antes haya hecho. Tome clases de baile, únase a una expedición al Kilimanjaro a favor de algún programa de caridad, sirva como maestro de ceremonias o váyase de gira en bicicleta por Asia. En vez de ir a sentarse en una playa este año en sus vacaciones ofrézcase de voluntario para cuidar de los elefantes en África. Hacer cosas que envuelvan exigencia física, emocional o espiritual es la mejor manera de probar sus alas.

Encuentre la manera de lograr hacer cosas que superen lo que ya ha hecho antes. Cuando enfrente sus temores se sorprenderá de lo que es capaz de realizar.

Capítulo 23

"El valor no es la ausencia de temor,
más bien es el conocimiento de que hay algo más importante que el temor".
—Ambrose Redmoon

Ambrose Redmoon fue el seudónimo de James Neil Hollingworth, quien nació en Painesville, Ohio. Fue un chico rebelde, hizo parte del movimiento hippie y fue el manager del la banda de rock psicodélico Quicksilver Messenger Service. Caracterizado por su estilo extravagante, desafiante y atrevido, no fue conocido durante su vida más allá de un pequeño círculo de seguidores místicos del neopaganismo. Después de un trágico accidente automovilístico que lo dejó confinado a una silla de ruedas, pasó sus últimos años en un apartamento pequeño en Santa Rosa, California.

¿No resulta sorprendente que las palabras "valor" y "temor" tiendan a aparecer consistentemente en las definiciones donde se postula la definición del valor? Es como si estas dos palabras estuvieran inexorablemente ligadas. El temor es de alguna manera un antecesor necesario del valor.

Pero ¿qué es exactamente el valor y cómo adquirirlo? Yo personalmente pienso que es una virtud humana compleja, poco entendida y elusiva. Tendemos a definir el valor en términos de sucesos y circunstancias —lo concebimos como algo que hacemos en una u otra ocasión en vez de expresarlo en términos de lo que somos como seres humanos. Es muy común que el valor sea definido con ejemplos más que con definiciones abstractas. Por ejemplo, si usted le pidiera a alguien en la calle que definiera el valor, probablemente obtendría una respuesta como: "Valor es entrar en un edificio en llamas y salvar a un niño", más bien que "El valor es una característica de personalidad admirable que se destaca por la habilidad de actuar a pesar de las consecuencias potenciales".

El debate sobre si el valor está ligado al temor tiene un amplio historial que se remonta a los días de Platón y Aristóteles, quien pensaba que el sentimiento de temor hace parte integral del valor; mientras que Platón argumentó que el punto crítico consiste en el entendimiento racional del temor, más que permitirse a uno sentir ese sentimiento. Personalmente concuerdo con Platón.

Yo no tengo ninguna duda de que el temor con frecuencia se manifiesta en el mismísimo instante en que se necesita que manifestemos valor; no obstante creo que el verdadero valor no es una reacción de los intestinos sino que consiste en una elección consciente. Piense por ejemplo en Benazir Bhutto. Fue asesinada el 27 de diciembre de 2007, luego de regresar a Paquistán. Le había sido concedida la amnistía luego de enfrentar cargos de corrupción. Ella demostró un valor increíble, pues sabía plenamente que al regresar pondría su vida en peligro, sacrificando así su vida a favor de su amado país. Ella pudo haberse quedado viviendo cómodamente en la seguridad que le brindaba Londres o Dubái pero escogió regresar a su país con la esperanza de hacer la diferencia.

Vivimos en un mundo donde cosas como el terrorismo, el genocidio, la guerra, la pornografía infantil, la pobreza, la mutilación femenina, etc., son noticia a diario. No es de extrañar que vivamos aterrorizados, indignados y escandalizados, quedando entumecidos en un estado de indefensión e indiferencia. Solemos pensar que estas circunstancias sólo les ocurren a los que viven al otro lado del mundo. Sólo hasta cuando esos factores externos se acercan a nosotros es que hallamos el valor para hacer algo al respecto. No obstante, personas como Benazir Bhutto han demostrado lo que es el verdadero valor.

Si usted piensa en su propia experiencia, estoy segura que concordará en que ha habido cientos de veces que ha experimentado el sentimiento de temor pero que no se ha armado de valor para tomar acción y hacer algo al respecto. Los temores abundan por todas partes. Sin embargo, el valor, es un bien mucho más escaso y evasivo.

De otro lado, es posible que haya habido ocasiones en que actuó con valor y no estuvo consciente de ello, y sólo hasta tiempo después, pensó que debió haber sentido temor. Usted actuó por instinto y simplemente hizo lo necesario en ese momento. No hay un vínculo causativo entre el temor, la ausencia de temor y el valor.

Cuando yo perdí a mi madre en 1992, luché para hallar el valor de hacer lo que necesitaba para seguir adelante. No obstante, el temor no es un factor que motive a la acción. Para ese tiempo, yo sentía que había perdido casi todo aquello que importaba o que definía lo que yo era —mi sentido de hogar y familia. Ya no había nada a lo cual temer, ya había tocado el fondo. Recuerdo que me sentía abrumada con el sufrimiento, la soledad, la ira, la conmoción y el desespero. Era como caminar en medio de una nube de oscuridad que nunca se desvanecería. En ese tiempo, simplemente no podía imaginar que con el tiempo el dolor se desvanecería, que mi corazón sanaría y que me sintonizaría de nuevo con la vida. En ese momento el valor me escogió a mí, no fue a la inversa. Yo no tenía el modo de que fuera así.

Muchas personas me han dicho que piensan que yo soy increíblemente valiente al haber sobrevivido a ese periodo tan difícil de mi vida. Yo nunca lo vi de ese modo, porque pienso que nunca tuve elección al respecto. Hice lo que hice a fin de sobrevivir —no tenía el tiempo ni las energías para sentarme y contemplar mis temores o calcular las consecuencias potenciales. Mis instintos naturales tomaron el control y simplemente hice lo necesario en las circunstancias en las que me encontraba. Cuando pienso en ello, ni el temor ni la ausencia de este fueron determinantes. Recuerdo que sentía que tenía que dar a mi madre el tributo que merecía en su funeral. Tenía que demostrar que la justicia era lo propio. Sentía que tenía que completar mis artículos legales para que ella se sintiera orgullosa. Tenía que restablecer un hogar y tener una nueva familia. Para mí todas esas cosas representaban mi llamado. No creo que a eso se le llame valor sino más bien necesidad.

Ahora bien, considero que la decisión de viajar a Australia o la de escribir este libro, envuelven mucho más valor. En estos casos, yo podía elegir. Podía darme el lujo de reflexionar en las opciones, de sopesar las consecuencias, de examinar mis sentimientos y de identificar el propósito mayor.

Me esforcé bastante y por mucho tiempo para dejar mi pasado atrás. Eché llave a una parte de mi vida, la puse en una caja de seguridad y me mudé a 20.000 kilómetros, a fin de tener un nuevo comienzo en Australia. El proceso de escribir este libro trajo de vuelta emociones y recuerdos. He estado recordando pensamientos y sentimientos que no había tenido en años. También estoy consciente del efecto de escribir acerca de todos estos sucesos en mi vida y en la de otras personas. Es posible que haya quienes puedan considerarlo como un resurgimiento de asuntos que es mejor que queden enterrados en el pasado.

Para ser sincera, he estado pensando en escribir este libro durante 14 años. Hay tantas cosas que quiero decir y compartir. Lecciones que he aprendido, distinciones que han hecho la total diferencia y un mensaje de esperanza para otros que también han tenido pérdidas terribles, o para quienes simplemente se han extraviado del camino. Sin embargo, el temor me inmovilizó y me impidió iniciar este proyecto durante muchos años. El temor de desempolvar el pasado y también de que lo que dijera me apartara aún más de la poca familia que aún tengo.

Y a medida que escribo esto y que entro en la etapa final de este libro, mis sentimientos se intensifican. Por una parte, me siento atraída hacia esta nueva dirección en mi vida. Genuinamente pienso que mis experiencias no deben ser enterradas. He llegado a descubrir que "dejar aquietadas las aguas" nunca es una solución que resulte útil a largo plazo. Pero más que eso, deseo que la gente vea, a partir de mis experiencias y de las de las otras personas que menciono en este libro, que sin importar lo que nos suceda, siempre tenemos la oportunidad de escoger el significado y de atribuirle el sentido que queramos.

Por otra parte, me siento bastante desgarrada por el inmenso sentido de obligación de llevar los secretos en silencio. Lo último que desearía hacer es herir a al resto de familia que me queda —mi padre y mi hermano. A pesar de todo lo que ha sucedido, ellos son mi carne y mi sangre y los amo a pesar del dolor y el desengaño. Aunque no tengo contacto con ninguno de ellos y no tengo el tipo de relación que me gustaría tener, creo que ambos han hecho progresos para reconstruir sus vidas y continuar adelante. Temo que la desconexión que ya siento de su parte se haga total después de que se publique este libro.

Mi vida entera se regía por el mantra "lo que suceda en casa es privado y no se habla con nadie". Cuando éramos niños se nos castigaba por hablar más de la cuenta. Hubo ocasiones en las que les contaba a mis abuelos acerca del alcoholismo y de los abusos cometidos por mi padre. Y rápidamente aprendí las consecuencias severas por romper el código del silencio. Crecimos bajo la nube insidiosa del secreto —todavía siento la presión de mantener esta información en reserva a fin de "proteger" a la familia.

Tristemente no creo que mi familia sea muy diferente a millones de otras alrededor del mundo. Una de las consecuencias de la violencia doméstica, las adicciones al alcohol y las drogas, el descuido y los delitos sexuales, tan prevalentes, es que las víctimas sienten temor de salir o de hablar debido a las posibles repercusiones. Yo no escribí este libro como una retaliación en contra de mi padre o de mi hermano. Hay sucesos que no menciono deliberadamente porque no se logra nada con incluirlos. Tampoco culpo a ninguno de ellos porque lo hecho, hecho está, pero tarde o temprano todos tendremos que asumir la responsabilidad de nuestras acciones y de nuestras vidas. Y eso me incluye a mí. Al final debo elegir el camino con el cual me sienta más identificada. He tenido que tener el valor en mi convicción que este libro va a ayudar a más personas mediante su publicación, que el daño que pudiera causar. He tenido que tener el valor de hacer lo que sentía en mi corazón que era correcto y ha sido necesario tener la convicción de que el silencio prolongado no ayuda a nadie.

¿Sabía usted...?

La palabra valor proviene del término francés "coeur" que significa corazón. Esta etimología es particularmente iluminadora en el sentido de que al corazón se le asocia usualmente con la emoción del amor. Este término tiene un paralelo en el idioma hebreo "ometz lev" o literalmente, "fuerza del corazón".

El corazón no es un órgano que bombee sangre, descanse y luego continúe su trabajo. Se caracteriza por su ritmo continuo e incansable. Con el corazón como órgano subyacente, se deduce que el valor se cimienta en la firmeza y en la infatigable fuerza de vida del amor. El valor no se alimenta del temor o de la ausencia de temor sino más bien en un invariable llamado que es mucho más grande que el temor.

Todos experimentaremos temor. Es tan necesario para nuestra evolución como respirar. En mi caso, yo tuve que sobrevivir y el valor emerge en tiempos de supervivencia —puede emerger a partir de la pérdida de un ser querido o cuando se es diagnosticado con una enfermedad grave. El valor es lo que nos permite luchar en vez de darnos por vencidos. Tenemos que aprender a aceptar el temor como parte de nuestra existencia. Con frecuencia está ahí debajo de la superficie: el temor de fracasar en un nuevo trabajo o negocio, el temor de decir "no" a otros, el temor de expresar nuestros verdaderos sentimientos, el temor de decepcionar a nuestra familia, el temor de asumir nuestra posición a favor de aquello que creemos que es correcto, el temor de ponernos a favor de alguien que está siendo ridiculizado o castigado por su apariencia, raza o religión. Aunque estas no sean situaciones de vida o muerte no son menos debilitantes o intimidantes. Sin importar qué sea lo que cause el temor en estos "momentos de verdad" es la misteriosa capacidad del valor la que nos permite cavar y hallar la habilidad de ir tras lo que es correcto y justo, a pesar del hecho de que el viaje sea largo y la senda imprecisa.

El temor es un componente natural de la esencia humana y es necesario para nuestra supervivencia. Sin embargo, está ahí únicamente para atemperar nuestras decisiones de modo que podamos interactuar de forma consciente con nuestro entorno. Está ahí para que hagamos un alto en el camino. A medida que crecemos el temor es canalizado a otras áreas lo que puede resultar en la manipulación de una fuerza elemental. Aprendemos a suprimirlo, a ignorarlo, a disimularlo, a magnificarlo, lo utilizamos como apalancamiento y muchos de nosotros aprendemos a dominarlo. Los comportamientos mencionados están dirigidos a anestesiar el temor o a dejar de experimentarlo, sin embargo, no nos aportan la fuerza que nos impulse hacia desarrollar valor, más bien, constituyen una distracción.

Explorar nuestros temores en búsquedas de respuestas sobre cómo obtener valor es semejante a subirse a un automóvil e intentar conducir por la autopista únicamente guiándose por el espejo retrovisor. El temor siempre se encuentra en la dirección opuesta a donde deseamos avanzar. Es como lo expresa Jack Canfield, coautor de la serie de libros *Sopa de pollo para el alma:* "Todo lo que tú desees obtener se encuentra en dirección opuesta al temor". La respuesta a la pregunta —¿cómo obtener valor?— subyace en encontrar un llamado que sea mucho más grande que el temor. Lo importante es hacer lo que se necesita hacer, y a pesar del temor hallar el sentido.

De muchas maneras el valor es un asunto de elección. Es como una puerta que siempre está disponible para ser abierta. No es un recurso que se almacene para darle un uso futuro. Aunque usarlo resultará muy útil en los tiempos de crisis. Haber tenido valor en el pasado no implica una garantía de que se tendrá en el futuro, y lo opuesto también es cierto.

Muchos de nosotros asumimos que puesto que no hemos ejercido valor en el pasado, eso quiere decir que no somos valerosos ni capaces de manifestar valor. Esto es una falacia. Todos tenemos la posibilidad de armarnos de valor todos los días de nuestra vida. La clave no radica en creer que se tiene lo que se necesita para vencer el temor sino en ver a la distancia aquello que es especial o deseable de modo que nos sintamos impulsados a emprender la acción de alcanzarlo. Armarse de valor es mucho mejor que dejarse invadir del temor.

Cómo incorporar esta sabiduría en su vida

Se requiere tener bastante valor de corazón para ir a lo profundo de las cuestiones de quiénes somos y qué queremos lograr en el mundo. Una de las cosas más poderosas que podemos hacer es leer buenos libros. Cuando usted lee historias de valor empieza a preguntarse cómo pudo haber reaccionado en las mismas circunstancias. Con frecuencia sentimos humildad al aprender sobre la fuerza y el valor del héroe de la historia, quien con frecuencia ha enfrentado obstáculos mucho mayores que los nuestros, y ello nos inspira a ir más allá de nuestras limitaciones hacia alcanzar algo superior. Tales historias logran capturar nuestro corazón, se apoderan de nuestras emociones y acrecientan nuestro valor —son esencialmente historias que se convierten en aquello por lo cual nuestro corazón clama.

Si usted está dedicado a alcanzar cierta meta, entonces una de las mejores formas como puede utilizar su tiempo es buscando biografías de personas que ya hayan logrado aquello que usted desea alcanzar. Conozca a personas que hayan hecho lo que usted quiere hacer y hable con ellas. Al expandir su mente y comprender que el valor no es una cualidad mítica disponible sólo para unos pocos escogidos sino que es una parte natural de cada uno de nosotros, entonces podrá avanzar confiadamente hacia la realización de sus metas.

Capítulo 24

"Todo lo que somos es el resultado de lo que hemos pensado. La mente lo es todo; nos convertimos en lo que pensamos".
—Buda

Buda, o "El Iluminado", es el título por el que se conoce al fundador del budismo, Gautama Buda, quien nació en el siglo VI a. C. como parte de una familia de la realeza. Siendo todavía un adulto joven, emprendió la búsqueda de respuestas espirituales y un mayor entendimiento de la vida. Al buscar guía mediante la meditación, halló iluminación y viajó a tierras muy lejanas para proclamar la senda de la salvación. Sus seguidores continuaron difundiendo sus enseñanzas aún después de su muerte, y hoy en día el budismo sigue latente.

Existen miles de referencias a esta idea —que nuestra forma de pensar afecta el resultado. Escritos espirituales de la antigüedad que se remontan a los principios de la historia escrita, de manera directa o indirecta, resaltan la importancia del pensamiento. La filosofía hindú de antes del cristianismo declara: "Tal como actúa un hombre, tal llega a ser. Tal como es su deseo, tal es su destino". Filósofos griegos del siglo IV hablaron de la importancia del pensamiento como una manifestación de la "realidad" deseada. La Biblia también contiene una gran cantidad de referencias al respecto, tales como "Si tenéis fe, nada os será imposible". Hay también escritos cabalísticos que hacen referencia a la conexión existente entre el pensamiento y la experiencia. En ninguna parte del planeta existe una ideología religiosa que afirme que nuestros pensamientos carezcan de importancia.

Por primera vez en la historia podemos probar, mediante el estudio científico de tipo empírico, cuán significativos son nuestros pensamientos. Podemos demostrar que estos sí influyen en el mundo a nuestro alrededor de una manera tangible. Lo que estos escritos sagrados ilustraron no fue algo metafórico, sino verídico.

Esos pensamientos dominantes emocionalizados que hacen parte de nuestra vida cotidiana, afectan de cierta manera el campo cuántico e influyen sobre el resultado. Pero no se emocione demasiado —no todo deseo pasajero que usted tenga en cuanto a la vida que le gustaría tener se va a materializar de un momento a otro. Sólo el pensamiento emocionalizado, cotidiano y constante, es el tipo de pensamiento que ejerce poder.

La mala noticia es que la mayoría de gente no aplica el pensamiento emocionalizado cotidiano constante en aquello que es positivo. Más bien, lo dedican al campo en el que moran la preocupación y la ansiedad. Es el tipo de pensamiento que produce desvelos, pero no por buenas razones. Pocos somos los que llegamos a aprender cómo aplicar el pensamiento cotidiano constante para lograr resultados positivos.

Esta es la idea que compone el núcleo del libro clásico de autoayuda *Piense y hágase rico*. Andrew Carnegie, un acaudalado industrial, puso a Napoleón Hill a cargo del estudio del éxito. Gracias a los contactos de Carnegie, Hill tuvo acceso sin precedentes a los grandes pensadores y líderes de la época, y así pudo investigar qué fue lo que los convirtió en personas de éxito. El resultado fue un libro que, sin lugar a dudas, significó el comienzo de una industria multimillonaria. Lo que Hill descubrió fue que la persona que logra algo sobresaliente tiene la capacidad de manejar su forma de pensar y canalizar sus pensamientos emocionalizados dominantes hacia el deseo que quiere ver realizado. Este proceso ha llegado a conocerse como visualización, y es una parte esencial de cómo usted puede cambiar su mundo.

El psicólogo australiano Alan Richardson tomó tres grupos de jugadores de baloncesto y probó su capacidad para encestar tiros libres. A los jugadores del primer grupo los puso en la cancha y les permitió practicar tiros libres por 20 minutos. El segundo no tuvo que hacer nada, y el tercer grupo tuvo que visualizar lanzamientos perfectos durante 20 minutos al día. Como es natural, el grupo que no hizo nada no logró mejorar sus lanzamientos. El primer grupo mejoró un 24%, pero lo que fue en verdad sobresaliente, fue que el tercer grupo pudo mejorar un 23%. Con sólo imaginar una mejoría mediante la visualización, lograron mejorar su precisión casi exactamente en la misma medida que los que habían practicado físicamente en la cancha.

Sea que nos demos cuenta o no, visualizamos cosas todo el tiempo —visualizamos lo que queremos o no queremos. Como una araña que continuamente teje su red, de manera persistente estamos pensando o imaginando lo que podrá pasar. Si siempre nos enfocamos en un resultado negativo y dejamos que el miedo nos confunda, eso tendrá un impacto SEGURO sobre nuestra realidad.

¿Sabía usted…?

Los atletas soviéticos que tomaron parte en los juegos de invierno de Lake Placid, Nueva York, en 1980, habían participado en una investigación científica relacionada con la imaginación y el desempeño físico. Se repartieron a los atletas entre cuatro grupos antes de las competencias. El primero pasó un 100% de su tiempo de entrenamiento realizando prácticas. El segundo pasó un 25% del tiempo en prácticas, y el otro 75% en visualización. Durante los juegos de invierno, el grupo número cuatro fue el que mostró el mejor desempeño, seguido por el 3, el 2 y el 1 en ese mismo orden.

Aquellos que enfocaron su mente y canalizaron su asombroso poder hacia el resultado deseado, aumentaron su desempeño a un nivel mayor, comparado con los que sólo canalizaron la fuerza de su cuerpo y entrenaron de la manera tradicional.

Hace pocos años, antes de que de verdad comenzara a entender cuánto poder ejercen nuestros pensamientos sobre la creación de nuestra propia realidad, me encontraba trabajando para una compañía que no era estable en términos financieros. El director de finanzas no era un hombre que se caracterizara por su ética, y su manipulación de influencias hacía que fuera difícil tratar con él de manera profesional. La compañía tenía un gran capital estancado en inventarios caducados y había una presión tremenda para que se controlara esta cuestión. Muchos de los problemas podían atribuirse a la inexperiencia administrativa, mala comunicación y la falta de querer asumir responsabilidad.

En vista de esto, empezó a preocuparme la viabilidad financiera de la compañía. Yo era contratista y no me estaban pagando a tiempo mis cobros mensuales, lo cual me preocupaba. Estaban llegando embarques de mercancía del extranjero y se estaban quedando estancados en el muelle por falta de fondos. El director de finanzas empezó a hacer comentarios sutiles insinuando que ya no tenían con qué costearse mi salario y que ya no querían que siguiera trabajando allí. No había mucho que yo pudiera hacer, pues no había manera de probar la mayoría de las cosas que él había dicho. Sin embargo, esto sí empezó a darme vueltas en la cabeza y a causarme un grave efecto.

En poco tiempo desarrollé una sinusitis grave. Debido a la enorme presión laboral, no podía pedir tiempo libre para descansar —estaba trabajando como 65 horas por semana. Me enfermé tanto que fui remitida donde dos especialistas —y ambos dijeron que el mío era uno de los peores casos que jamás habían visto. Tuve que tomar antibióticos y antiinflamatorios por un buen tiempo y también tuve que hacerme una cirugía plástica del tabique nasal. A pesar de todo esto, me estaban presionando constantemente para que regresara de inmediato al trabajo.

Las amenazas persistentes de quitarme el trabajo y de retener mi sueldo me causaban una gran preocupación mental. Hablaba del asunto constantemente con mis colegas y amigos. Me estaban consumiendo el miedo y la preocupación, y no podía entender por qué me estaba pasando esto a mí. Me supongo que no fue una sorpresa el que poco después me hubieran despedido, sin ninguna razón y sin el debido aviso previo. Sea que al momento me haya dado cuenta o no, en mi propia mente, ese año estuve tejiendo constantemente la red de reducción presupuestal. Había visto cómo un buen número mis demás colegas, personas muy calificadas, trabajadoras y profesionales, habían sido despedidos por la simple razón de que la compañía estaba tomando medidas para reducir sus gastos. Era una amenaza y una posibilidad muy presente, pero yo la convertí en una realidad al visualizarla una y otra vez en mi propia mente. No importaba que eso no fuera lo que yo no quería que pasara. Lo que importó fue que llegó a ser un pensamiento emocional cotidiano. Lo que empezó como un pensamiento se convirtió en un algo —algo que yo en realidad no quería que pasara.

Los pensamientos a los que les dedicamos energía en nuestra mente tienen una magia transformante que puede hacer que esas cosas se hagan realidad. Todavía no se ha podido comprender por completo esa energía universal que hace que esto sea posible, pero la física cuántica ciertamente está avanzando a buen paso hacia ese objetivo.

Prescindiendo de si se llega a comprender o no la mecánica de esta energía, los resultados han sido comprobados una y otra vez. Y parece ser que la fuerza que transforma el pensamiento emocional cotidiano en una realidad, hará esto en el caso de resultados positivos o negativos por igual. Entonces, asegúrese de enfocar sus pensamientos en lo que quiere, NO en lo que no quiere.

Voy a cerrar este punto con la historia excepcional del Sr. Wright, quien tenía cáncer avanzado de los nódulos linfáticos y Bruno Klopfer era el encargado de su tratamiento. Lo habían probado todo, pero sin lograr ninguna mejoría, y era claro que le quedaba poco tiempo. Wright tenía el cuello, las axilas, el pecho, el abdomen y la ingle llenos de tumores del tamaño de una pelota de tenis. El bazo y el hígado se habían agrandado tanto, que a diario tenían que drenarle un líquido lechoso.

Wright había oído hablar de una droga nueva e innovadora llamada Krebiozen, y estaba convencido de que esta curaría su enfermedad. Suplicó para poder recibir este tratamiento, y con el tiempo su médico aceptó, aunque estaba seguro de que ya era demasiado tarde. Por otro lado, Wright creía categóricamente que la vida le había dado una nueva oportunidad. Logró una asombrosa recuperación, y Klopfer reportó que sus tumores se habían "derretido como bolas de nieve sobre una estufa caliente". Wright salió del hospital diez días después de su primer tratamiento con esta droga, y hasta donde podían ver los médicos, ya no tenía cáncer.

Wright siguió bien por dos meses, pero luego empezaron a salir artículos cuestionando la efectividad del Krebiozen y esta incertidumbre lo afectó hasta el punto de que llegó a deprimirse y sufrir una recaída. Volvió a ser hospitalizado y, en su desesperación, el doctor le aseguró a Wright la efectividad del Krebiozen, pero mencionó que parte de los suministros iniciales se habían deteriorado durante el envío. Pero le dijo que ya existía una versión nueva de alta concentración de la misma droga, y que él podría administrarle el tratamiento de inmediato. Por supuesto, no existía ninguna droga nueva, pero Klopfer sabía que cualquier cosa que fuera lo que Wright estaba pensando, aquello estaba afectando de forma dramática la manera de reaccionar de su cuerpo. Luego de un proceso complejo, el doctor inyectó a su paciente con sólo agua.

De nuevo, los resultados fueron asombrosos —y esta vez todavía más asombrosos puesto que no se usó ningún tipo de droga. Los tumores se disolvieron, el líquido acumulado en su pecho desapareció, y Wright de nuevo estaba en pie. Nuevamente, no presentó ningún síntoma por dos meses. Sin embargo, la Asociación Médica Americana anunció que en un estudio nacional de Krebiozen se había hallado que la droga era inservible en el tratamiento contra el cáncer. Wright murió dos días después.

Nada había cambiado para Wright, excepto por una sola cosa —¡su forma de pensar! Tenga mucho cuidado en lo que enfoca sus pensamientos —podría causarle la muerte.

Cómo incorporar esta sabiduría en su vida

¡Deje de preocuparse! Siempre hemos sabido que preocuparse no ayuda en nada, pero ahora está claro que preocuparse puede hacer que las posibilidades de que aquello que a usted le preocupa que llegue a pasar, se conviertan en una realidad. Al preocuparse con intensidad y pasión por algo en particular que tal vez pueda pasar, usted podría formar parte de lo que hace posible que esto llegue a ser una realidad. Tiene que romper ese patrón de pensamiento y enfocar su atención en el resultado que usted quiere ver hecho una realidad.

Este no es un problema que se pueda solucionar rápidamente, en especial si usted acostumbra a estar siempre preocupado. Por lo general, la gente corrige su rumbo y empieza a pensar de una forma más positiva cuando se da cuenta que estresarse de manera obsesiva acerca de lo que podría salir mal , lo que verdaderamente garantiza es un aumento en las posibilidades de que eso se haga realidad. Haga un esfuerzo consciente por ponerle freno a sus pensamientos inquietantes y más bien, reemplácelos de inmediato con el resultado imaginario óptimo más exagerado que usted pueda suponerse. Diviértase intentándolo.

Capítulo 25

"No se trata de si sus acciones son severas o amables; es el espíritu que hay tras sus palabras y acciones lo que revela cual es su estado interno".
—Chin-Ning Chu

Chin-Ning Chu es una asesora de negocios estadounidense que toma parte en ayudar a empresas occidentales a interpretar y traducir algunas de las filosofías comerciales del oriente. A los 22 años de edad partió de Taiwán rumbo a los Estados Unidos. Todo lo que llevaba era una maleta y dos libritos, *The Art of War y Thick Black Theory* —con la sensación de que ambos serían de importancia en su nueva vida. Uno de sus libros más exitosos fue *Thick Face Black Heart*. Por toda Asia y Australia, ¡sus libros superan en ventas a los de escritores como Tom Peters y Anthony Robbins!

Yo creo en que el espíritu que hay tras nuestras acciones y palabras no sólo anuncia nuestro estado interno, sino que también influye en los resultados que alcanzamos. Varios ideales religiosos nos llevan a creer que debemos hacer lo que es correcto, de lo contrario, cuando llegue el momento del juicio final, nos iremos al infierno.

Lo que algunos proponentes religiosos afirman es que uno tiene que hacer lo correcto, de otra forma, sufriremos un castigo. Pero si lo único que nos motiva a hacer el bien es la posibilidad de condenación eterna, ¿actuamos así por ser una persona buena, o por miedo? ¿Cuál es la intención predominante?

La intención es lo que de verdad cuenta. Ayudarle a alguien durante una crisis por pensar que así vamos a acumular puntos favorables con Dios, es una experiencia muy diferente que ayudarle por reconocer que necesitan ayuda y querer hacerle la vida un poco más fácil.

Todos hemos tenido el infortunio de conocer a personas hipócritas. Dicen las palabras precisas, pero hay algo que no concuerda. Sus verdaderas intenciones tal vez no sean evidentes, pero la falta de armonía entre sus palabras y sus acciones es inconfundible.

Tomemos como ejemplo el racismo. Hay quienes nunca en su vida harían un comentario racista, sin embargo, si los ponemos en una situación en la que hay personas de diferentes culturas, su intención y opinión puede oírse como si la estuvieran gritando a voz en cuello — se puede oír a 1,000 kilómetros. Quizás digan cosas preciosas, pero su intención no tiene nada de bonito. Por otro lado, puede ser que usted oiga a dos personas diciéndose cosas horrendas, pero sin que haya malicia ni racismo implicado. Por lo general, esto es lo que ocurre en la comunidad afroamericana, entre quienes a veces se dirigen el uno al otro con esa palabra que empieza con la "N". Para la mayoría de gente, esa es una palabra ofensiva en extremo. Sin embargo, al usarla de esta manera no es algo ofensivo para quienes la dicen, pues la intención tácita tras la palabra es más bien de amistad y camaradería. Sin ninguna malicia.

Ahora, no estoy diciendo, ni por un instante, que cualquier persona podría usarla. Yo misma me sentiría incómoda si la usara, sin importar cuáles fueran las circunstancias. Sin embargo, el punto es que se trata de la intención que hay tras las acciones y palabras lo que les da su verdadero significado y efecto.

Tenemos que comprender la diferencia entre nuestras palabras y acciones, y la intención que hay tras ellas. La intención siempre saldrá ganando. Si usted dice que quiere algo y hace lo necesario para manifestar su objetivo, y aún así no se hace realidad, supongo que su intención no es consecuente con sus palabras y acciones.

Es natural que la pérdida de mi madre haya causado un profundo impacto en mi vida. La necesidad de reconstruir un sentido de estabilidad y una familia se convirtió en una obsesión. Como es común entre aquellas personas que han perdido prematuramente a un pariente muy querido, una vez que el periodo de duelo ha pasado, le queda a uno la sensación de un vacío enorme en el corazón. Hablando por experiencia, uno hace cualquier cosa por llenar ese vacío… cualquier cosa.

La persona inconsolable usa como analgésicos de preferencia todos los venenos comunes —la comida, la bebida, el cigarrillo, las drogas, el trabajo, las apuestas, el derroche. Muchos también recurren a la auto privación emocional (aislamiento, depresión, ansiedad, fobias), la sobre compensación, el comportamiento irracional (violencia, venganza), o la culpa. Sin importar cuáles o cuántos de estos use, ninguno va a llenar el abismo, pues no son más que promesas vacías.

Creo que Mae West dijo en cierta ocasión: *"Al tener que escoger entre dos males, siempre elijo al que no he tenido que enfrentar antes"*. Esta es una frase con la que me puedo identificar personalmente. Y siendo una persona a quien no le gusta quedarse atrás, yo elijo varios males, para tener siempre de qué preocuparme. Durante unos dos años sufrí de depresión severa e insomnio. Bajé de peso, de 130 libras a 98 libras, en sólo unas pocas semanas, y dependía de somníferos y Prozac para poder cumplir con la rutina diaria. Era un completo desastre en sentido físico y emocional. Ni siquiera podía soportar la idea de poner comida en mi boca, masticarla y pasarla. Sólo pensarlo me causaba repugnancia. Me atormentaban pesadillas perturbadoras, y pasé muchísimas noches en vela con la mirada clavada en el techo. Durante el día, a menudo lloraba de manera incontrolable por horas, pero me aseguraba de decirles a todos que estaba bien y que iba mejorando. Me compré un carro, ropa, una casa, y hasta me fui de viaje, pero de nada sirvió, no me sentí mejor en absoluto. A la final, me retraje de vivir.

Después de uno o dos años empecé a relacionarme nuevamente más con otros. Estaba desesperada por casarme y tener una familia. Atraje a mi vida a un gran hombre, pero teníamos muy poco en común y no compartíamos las mismas metas o valores, y como ya mencioné antes, el matrimonio no duró mucho. El fin de mi matrimonio fue el comienzo de una etapa interesante de mi vida —caracterizada por unas cuantas más relaciones que fracasaron.

Pero yo estaba diciendo las palabras precisas, estaba haciendo todo lo necesario para atraer la relación perfecta —de verdad quería entrar en una relación, tenía tanto que dar, estaba lista para entrar en una relación seria… ¿de verdad lo estaba?

Tardé 14 años en darme cuenta de que la razón por la que no había atraído a la relación de mis sueños, era que en verdad no tenía la intención de quedar otra vez en una situación vulnerable. Tenía tanto miedo de sufrir una herida, de que alguien pudiera ver mi verdadera persona, de arriesgarme a sufrir una pérdida o una traición, de confiar en alguien con todo el corazón y depender de otra persona. Sin embargo, eso es precisamente lo que necesitaba. Necesitaba una relación de verdad en la que estuviera dispuesta a ser vulnerable y arriesgarlo todo —esa era la única forma en que podría sanarme de verdad. Quería recibir tanto, pero en realidad, no estaba dispuesta a ofrecer mucho a cambio. No porque no tuviera nada que ofrecer, sino porque mi intención principal era protegerme y distanciarme en sentido emocional. Más que cualquier otra cosa, quería asegurarme de no sufrir otra herida —¡algo que es casi imposible lograr en lo que implica hacer parte de una relación íntima! El propósito que me había fijado era encontrar una relación única en la vida, pero en realidad nunca tuve la intención de entrar en una relación de compromiso con otra persona. Darme cuenta de esto me dio un sentido de libertad muy particular.

Al final, entendí cuál era mi intención verdadera —quería reemplazar lo que había perdido. En varios sentidos, la persona no era lo importante —en esencia, lo que yo quería era recuperar una vida de familia. Pero la familia siempre está, o siempre debería estar en un segundo plano dentro de una relación amorosa normal. Mi intención verdadera estaba perjudicando mi intento por encontrar el compañero adecuado.

He aprendido que para seguir adelante en la vida y lograr un progreso verdadero se necesita cierta medida de autoexamen. Debo tener un mejor entendimiento de mí misma si espero lograr algún día las cosas que con tanta desesperación he estado buscando. Al principio, empecé llevando un diario de ideas y sueños, y este proceso de introspección me permitió repasar lo escrito y encontrar algunos temas y patrones recurrentes. Pero una cosa es reconocer esos patrones y otra muy diferente hacer algo para librarse de ellos.

¿Sabía usted…?

En un estudio hecho en la Universidad de Stanford, se pidió a un grupo de participantes que comieran algo muy provocativo. Se les permitió elegir lo que querían comer, y algunos eligieron un pastel de chocolate, otros escogieron pasteles de crema o rosquillas recubiertas de mermelada. La conclusión fue que, prescindiendo de la comida elegida, lo que marcó la diferencia más grande, fue la intención que se le dio a esa golosina. Por ejemplo, quienes comieron sintiéndose culpables a la vez por todo el daño que podrían causarle a su cuerpo, mostraron una disminución en su función inmunológica. Los que comieron sin miramientos, remordimientos o preocupación, mostraron una elevación en su función inmunológica. La comida que eligieron no significó ninguna diferencia inmediata para el cuerpo, aparte de la disminución o elevación en la función inmunológica; el cambio dependió de la intención o significado que se le dio a la experiencia, no a la comida en sí.

Como ya he mencionado en capítulos anteriores, mi recorrido me llevó por lo que uno podría llamar las terapias "tradicionales" —medicamentos, participación en grupos de apoyo para víctimas, consejería, retiros y foros de inmersión en grupo. Esta modalidad de tratamiento se enfoca principalmente en hablar acerca de los problemas. A menudo, en este tipo de ambiente se ve el proceso de recuperación como algo que "toma tiempo" —quizás años. Durante los primeros años, tuve mucho que decir acerca de qué sentía y cómo me sentía, y fue de ayuda expresarlo con palabras y sacármelo del pecho. Lo desafortunado es que el hablar innumerables veces acerca de estos problemas sólo sirvió para afianzar todavía más las ideas negativas que tenía acerca de mí misma.

Aprendí a reprimir mis sentimientos hasta el punto que podía hablar acerca de las cosas que me habían pasado en la vida como si se tratara de cosas que le habían pasado a alguien más. Llegué a ser tan experta en el asunto, que en realidad empecé a pensar que ya había resuelto los sentimientos subyacentes. En realidad, lo que hice fue "empujarlos" literalmente hacia la parte inferior de mi abdomen (la raíz chacra) en donde, poco a poco, empezaron a causar estragos en mi sistema digestivo. Si alguien me pescaba fuera de base con una pregunta inesperada, sentía como si la fachada se desvaneciera y yo quedaba expuesta por completo. A menudo mis emociones estallaban sin control, lo cual me dejaba confundida y estresada al extremo. Era claro que hablar acerca de mis problemas no era la solución.

Hice la prueba con toda clase de terapias en las que el tratamiento estaba dirigido hacia partes de mi cuerpo y de mi corazón. Exploré la curación energética y la búsqueda de respuestas en otros, no en mí misma. Pero la verdad es que nada servía a menos que diera todo de mí mentalmente. Aunque empecé a comprender cómo mis experiencias y el significado que yo le atribuía a aquellos sucesos estaban afectando de manera metafísica tanto mi salud como mi percepción exterior de la vida, todavía no lograba hacer los cambios necesarios que me impulsaran hacia delante en un rumbo nuevo y motivador. Era como si estuviera atada a un extremo de una cuerda elástica y yo buscaba la manera de alejarme a grandes pasos para encaminarme hacia mi futuro, armada con mi nueva comprensión de la vida, pero tarde o temprano la cuerda dejaba de estirarse y me halaba con rapidez de vuelta al punto de partida. No podía soltarme de la cuerda y todo el tiempo me arrastraba de vuelta al pasado, sin importar el conocimiento consciente que había adquirido.

No fue hasta cuando descubrí las terapias que tratan directamente con el subconsciente mental que en realidad empecé a avanzar. Me atraían varias ciencias de la mente —PNL (Programación neurolingüística), hipnosis, terapia del campo de pensamiento, psico-cibernética e inteligencia emocional. Todas estas me ayudaron a aclarar de manera sistemática las incongruencias entre lo que yo decía que quería y lo que inconscientemente creía que podía lograr. Fue cuando logré capturar su poder, que un efecto curativo permanente y una vida feliz y llena de significado llegaron a ser posibilidades que estaban a mi alcance.

En mi experiencia, he hallado que las terapias tradicionales son, en su mayoría, ineficaces a la hora de mantener los cambios a largo plazo debido a que no se enfocan en los factores dominantes del inconsciente. Se ha dicho antes, pero la analogía es perfecta y, por lo tanto, vale la pena repetirla. Piense en un iceberg —sobre la superficie se ve un pico pequeño que representa sólo el 10% de su tamaño. Debajo está el 90% que uno no ve. La mente es exactamente igual, la mente consciente el ese pico pequeño que se puede ver sobre la superficie, y la mente subconsciente es el cuarto de máquinas que se esconde debajo. Si no le presta atención a esa parte de su mente, sus resultados a largo plazo también se irán a pique. Esta es la parte de su mente que pone en contexto o le da significado a los sucesos que ocurren en su vida.

El subconsciente influye de manera involuntaria en la manera en que usted se ve a sí mismo, y esta imagen propia juega un papel importante en todo sentido, en su actitud, su forma de expresarse, lo que usted cree que es posible lograr, y hasta las decisiones que toma.

Usted ya tiene todas las soluciones y recursos necesarios para su propia recuperación y para alcanzar sus sueños... Ya están en su mente, los tiene ahora. No hace falta nada, y no hay nada que no funcione o que no sea útil —sólo tiene que aprender cómo conectar de nuevo sus sueños con la infinitamente recursiva mente subconsciente mediante el concepto de la autoimagen.

Cómo incorporar esta sabiduría en su vida

Convierta en una costumbre el llegar a la raíz de sus motivos. Cuál es su "¿por qué?". Esto es aplicable a sus tratos con otros con la misma seguridad que también es aplicable a sus sueños y aspiraciones. Si, por ejemplo, no ha podido lograr los resultados que quería en cierta área en particular —¿está seguro que entiende cuál es su verdadera motivación? Pregúntese por qué eso es algo importante para usted. Cuando encuentre la respuesta, pregúntese por qué esa respuesta es importante para usted, y continúe en esa búsqueda hasta encontrar la verdad.

Este proceso puede ser extremadamente revelador. Si no se rinde y sigue cuestionando sus propias razones o intenciones, con el tiempo llegará a una conclusión que quizás le cause sorpresa. A menudo, durante este proceso va a decirse algo —las palabras saldrán de su boca casi sin pensarlo, y se dará cuenta desde lo más profundo de su corazón, que ha dicho la verdad. Estar conscientes de estas verdades, aun si son sorprendentes o incómodas, es el primer paso para encaminarse correctamente hacia el futuro que usted ha escogido.

Capítulo 26

"Si un hombre continúa estorbando su propio camino, todo lo demás parecerá ser un estorbo".
—Ralph Waldo Emerson

Con frecuencia se hace referencia a Ralph Waldo Emerson como uno de los autores, filósofos, oradores y pensadores de mayor influencia del siglo XIX. Él promovió el pensamiento independiente y creó controversia al afirmar: *"No todas las respuestas de la vida se encuentran en los libros: bien usados, los libros son una de las mejores cosas que hay; pero cuando se abusa de ellos, son de lo peor"*. Él creía que la mejor manera de aprender era tomando parte activa en la vida.

La palabra "obstáculo" tiene mala fama. Hasta la manera en que suena esa palabra causa inquietud y un mal presentimiento. En el diccionario se le define como "un factor negativo que impide o evita que uno logre alcanzar sus metas". Es causa de temor profundo para muchos, y parece haber desarrollado la reputación de ser un mal agüero o una señal de fracaso inminente.

Parece extraño, entonces, que a pesar de su mala fama y su naturaleza amenazante, a todo el mundo le encanta enfocarse en los obstáculos. De hecho, parecen brindar cierta distracción aceptable. ¿Qué hacen la mayoría de personas cuando se enfrentan a un obstáculo? Primero, quizás tratan de pasar por un lado. Cuando eso no funciona, lo levantan y lo llevan consigo a donde quiera que vayan. No hay cosa que les impida mostrárselo a los demás, hablar de ese obstáculo y ¡hasta pedirnos que les ayudemos a cargarlo! Piense en la última vez que se reunió con sus amigos, ¿se enfocó la mayoría de la conversación en la gratitud y la celebración de metas alcanzadas recientemente, o más bien el dialogo parece haber girado en torno a los retos y obstáculos que todos estaban enfrentando?

Que interesante, ¿no es verdad?

Los obstáculos tienen su manera de cobrar vida, y llegan a convertirse en el único centro de atención y en una obsesión. Son una muy buena excusa para justificar porqué no podemos hacer algo o para contentarse con decir "ese no era mi destino". El "obstáculo" es el chivo expiatorio perfecto —algunos lo ven como una "señal" de que sencillamente no estaban destinados a alcanzar su meta… el problema, impedimento o barricada, es demasiado grande como para que un simple mortal pueda superarlo.

Pero le voy a contar un pequeño secreto… los obstáculos son una parte inherente del proceso de fijarnos metas —no existen hasta cuando empezamos a labrarnos un sendero específico. Si usted no tiene metas o un rumbo en la vida, pues no habrá obstáculos contra los cuales luchar. Si no se ha fijado un destino, pues es imposible toparse con obstáculos en su rumbo hacia la nada. Así que, la manera más segura y a prueba de todo para eliminar los obstáculos, es simplemente divagar sin un rumbo fijo y sin tener un verdadero propósito o dirección. Pero esa no es una manera muy satisfaciente de vivir, ¿o sí? Sin aspiraciones nunca se sentirá el júbilo de lograr el éxito. Sin sueños, nuestra vida irá flotando a la deriva en un letargo insignificante. Necesitamos comenzar a pensar y acoger los obstáculos como una señal certera de que nos encaminamos hacia algo que vale la pena.

Como sociedad, hemos desarrollado un verdadero temor a enfrentarnos a los obstáculos. Aunque son una parte natural del proceso de logro, nosotros mismos nos hemos condicionado a creer que los obstáculos significan amenazas —una señal de fracaso inminente o una justificación para rendirse. Pero, ¿qué hay si el obstáculo sólo significa que estamos logrando algo, o que en realidad vamos en la dirección que nos ayudará a alcanzar nuestras metas? ¿Podría ser que ese sencillo cambio de perspectiva y significado transforme la manera en que vemos esos obstáculos y alteren la influencia pesimista que ejercen sobre nosotros?

Debido a su misma naturaleza, el lenguaje es extremadamente inexacto. Tenemos un deseo innato de asignarle una definición a cada palabra —para aumentar la sensación de seguridad y certeza que experimentamos al comunicarnos con los demás. Pero, ¿quién determina cuál debe ser la definición de una palabra? Después de todo, ya hemos establecido que el significado que le damos a las palabras tiene un impacto tremendo en la manera en que estas influyen en nuestro estado mental y comportamiento.

En mi propia vida, nunca ha sido el peso de los obstáculos lo que me ha doblegado, sino la manera en que yo elegí cargarlos. Y esto no ha sido más obvio que en la ocasión en que decidí que quería llegar a ser residente permanente de Australia. Ya había estado viviendo y trabajando en Australia por tres años, y durante la mayor parte de ese tiempo estuve hablando de presentar una solicitud de residencia. En noviembre del 2006, por fin me resolví e inicié el proceso. Lo que debió ser una tarea de apenas tres o cuatro meses, se convirtió en una odisea de trámites y burocracia que duró ocho meses.

Era como si todo lo que pudiera salir mal, hubiera salido mal. No llevé copias de muchos de los documentos que lo requerían y constantemente tenía que llamar o comunicarme por fax a Canadá para obtener todo lo que necesitaba. Mi condición de inmigrante calificada tenía que ser verificada por una junta directiva, y esto requería una gran cantidad de papeles donde se registrara mi historial de trabajo durante los últimos cinco años. El empleador que me patrocinó no era una "compañía" normal —era una alianza estratégica entre dos empresas nacionales de gran importancia —y por lo tanto, se requería que el departamento administrativo suministrara más documentación e hiciera más trámites de lo que era necesario normalmente.

En cada esquina me encontraba con un nuevo obstáculo. A medida que empecé a estresarme y a enfocarme en mis dificultades, también me di cuenta de que estas empezaron a multiplicarse. Entre más me preocupaba por las demoras y contratiempos, más demoras y contratiempos se presentaban. Estaba empezando a dudar de si todo este esfuerzo en realidad valía la pena. ¿Podría ser que estos interminables obstáculos fueran una indicación de que no estaba destinada a vivir aquí?

Fue una prueba de enorme fe para mí, pues no fue hasta cuando di un paso atrás y literalmente dejé de hacerme estorbo a mí misma, que todo por fin empezó a encajar en su sitio. Tan pronto como dejé de quejarme acerca de los obstáculos y más bien me enfoqué en buscarles una solución, dentro de un lapso de tiempo muy breve alcancé la meta de llegar a ser residente permanente. Al verlo desde otro ángulo y comprender mejor que las leyes se diseñaron de esa manera para garantizar que quienes solicitan residencia en este país maravilloso lo hacen porque de verdad quieren vivir en él, entonces esos obstáculos hasta llegaron a tener sentido. Estaba pasando por una prueba. Australia me estaba probando para asegurarse de que de verdad quería este cambio y ver si estaba preparada para hacer cualquier cosa que fuera necesaria para lograrlo. Y también me estaba probando a mí misma para ver si tendría la fe, perseverancia y dedicación para llegar hasta la meta.

Felizmente, pasé la prueba. Iba bien encaminada durante todo el trayecto. Acababa de gastar casi todo mi tiempo luchando contra el granito de arena en lugar de ahorrar todas mis fuerzas para derrumbar la montaña. Supongo que eso es exactamente lo que Al Neuharth quiso decir con sus palabras: "La diferencia entre una montaña y un granito de arena es sólo cuestión de perspectiva".

Los obstáculos no son nada más que un medio de retroalimentación —nuestra manera de saber si vamos por buen o mal camino y de permitirnos hacer ajustes para volver a la trayectoria correcta. A menudo, el obstáculo está ubicado precisamente entre nosotros y nuestras metas —por lo tanto, esa es una señal muy clara de que sí vamos por el camino correcto. En mi opinión, ¡la única razón para empezar a preocuparnos es que no se presente ningún obstáculo! ¿Podría ser esta una señal de que deberíamos fijarnos ciertas metas o de que sencillamente no estamos encaminados correctamente hacia alcanzar nuestros sueños?

Si podemos darle un nuevo significado o definición a los obstáculos que enfrentamos, descubrimos la capacidad de encarar estas oportunidades abiertamente y resolverlas de forma rápida y sin esfuerzo. Los obstáculos son parte de la vida, acéptelos como recordatorios de que sigue vivo, lleno de vigor y capaz de sobrepasar cualquier cosa que se cruce en su camino. Los obstáculos prueban que vamos en la dirección correcta. Aprenda a "no estorbarse a sí mismo" y verá que puede conquistar sus temores más grandes.

¿Sabía usted...?

La Cibernética es la ciencia del control. Apropiadamente, Norbert Weiner (1894 - 1964), un matemático que refinó la tecnología de misiles guiados, fue la persona que sugirió el uso de la palabra "Cibernética", la cual viene de la palabra griega para "timonel". La palabra Cibernética se refiere por lo general al estudio y diseño de aparatos que mantienen la estabilidad y están hechos para fijarse sobre una meta o blanco en particular.

Maxwell Maltz, el autor de la Psico-cibernética, acuñó la palabra "Psico-cibernética". En esencia, esta cierra la brecha entre los modelos mecánicos tradicionales del funcionamiento cerebral y el concepto de que el hombre es mucho más que sólo una "máquina". Maltz conjeturó que el ciclo constante de retroalimentación que le permite al misil guiado mantener su dirección y no desviarse de su curso, también podría aplicarse a los logros humanos.

El punto clave es que la Cibernética toma en cuenta sistemas en los cuales las acciones están sometidas a la influencia de la retroalimentación creada por los resultados de acciones previas. En otras palabras, podemos aprender de nuestros errores, o aprender por experiencia.

Digamos que usted se ha fijado una meta, ha hecho algunos esfuerzos por alcanzarla, y se ha topado con algunos obstáculos en el camino. La Cibernética dice que usted puede revisar los esfuerzos que ha hecho hasta la fecha y cambiar su plan de juego. Rara vez se alcanzan metas sin tener que enfrentarnos a dificultades y obstáculos en el camino. Más bien, los obstáculos y retos actúan como retroalimentación negativa para corregir su curso y reorientarlo en dirección hacia su meta. Se ha dicho que durante un vuelo entre Sídney y Los Ángeles, el avión sólo viaja en dirección directa menos de un 5% del trayecto. La mayoría del tiempo, la realidad es que el avión viaja levemente fuera de curso y el mecanismo de retroalimentación de la computadora del avión hace ajustes leves de dirección constantemente para dirigir la aeronave hacia su destino final.

En esencia, el avión va zigzagueando a medida que se acerca a su meta. Nuestro cerebro hace lo mismo —tiene un blanco fijo, pero corrige y ajusta la ruta cuando se presenta algún obstáculo. Maxwell Maltz creía que por naturaleza nos fijamos y alcanzamos metas, y que nuestro cerebro físico y nuestro sistema nervioso forman un tipo de máquina —un "servomecanismo". En nuestra mente consciente decidimos fijarnos una meta, y una vez que lo hacemos, nuestro subconsciente nos guía hacia ella —actuando como un misil guiado o un avión en piloto automático.

De la misma forma en que un misil guiado o un avión utiliza "sentidos" (radar, sonar, detectores de calor, programas de computadora, etc.) para obtener información acerca de su destino y corregir su curso, el cerebro humano responde a la retroalimentación de obstáculos que detecta el sistema nervioso en cualquier momento en que usted realice algún tipo de actividad significativa —hasta en situaciones sencillas de búsqueda de metas, tales como levantar un libro de la mesa, aprender a conducir o estudiar una lengua extranjera.

Como humanos logramos alcanzar metas debido a un mecanismo automático semejante, y no sólo por "voluntad" y los pensamientos que se desarrollan en el prosencéfalo. Todo lo que este hace es elegir la meta, moverlo a acción mediante el deseo, y enviar información al mecanismo automático para que su rumbo pueda corregirse de manera continua. De hecho, casi todo el tiempo viajamos en una trayectoria fuera de curso. Los obstáculos que encontramos nos brindan retroalimentación para volver a la ruta correcta. ¡Eso quiere decir que son una bendición y no una maldición!

Cómo incorporar esta sabiduría en su vida

Échele un vistazo a su vida en este momento —¿ve obstáculos y adversidades? Haga una lista de los 10 obstáculos principales a los que se enfrenta ahora. Revisándolos uno por uno, ¿de qué otra manera podría ver esta situación? ¿Será posible que los retrasos no sean privaciones, sino una oportunidad de afinar su enfoque, hacerse más fuerte y mejorar el resultado? Trate de ver sus retos desde una perspectiva distinta. Por ejemplo, en mi caso, pude darme cuenta que los contratiempos a los que tuve que enfrentarme para obtener mi residencia eran un paso lógico y vital para garantizar que sólo las personas con la mayor dedicación pudieran permanecer en el país de manera permanente.

Evalúe cada obstáculo y a cada uno búsquele por lo menos una perspectiva alterna. Busque también por lo menos una solución nueva. Los obstáculos nos pueden ofrecer mayor comprensión o mejorar nuestra determinación —nunca están allí para hacernos frenar en seco. Son reductores de velocidad, no son muros de concreto. El secreto es cavar profundo y encontrar la manera de superar los retos mediante encararlos abiertamente y sentir así el alborozo del éxito a medida que avanza hacia sus metas y de llegar a su destino final.

Emociónese frenéticamente con los obstáculos que enfrenta, pues esto demuestra que va justo en el curso adecuado. Mire a lo lejos, más allá de los retos, y podrá ver su premio —su meta. Nunca le quite la mirada al premio —en especial nunca por causa de una cosita insignificante como un obstáculo.

Capítulo 27

"Viva de su imaginación, no de su pasado"
—Stephen R. Covey

Stephen R. Covey fue el escritor del *bestseller* titulado *Los siete hábitos de gente altamente efectiva* —del cual se han vendido más de 15 millones de copias por todo el mundo. Covey argumenta que el comportamiento de la gente está gobernado por valores, pero que son los principios los que a la final determinan las consecuencias. Covey presenta sus enseñanzas en una serie de hábitos que se manifiestan como una progresión hacia la dependencia por vía de la independencia hacia la interdependencia. Está orgulloso de ser padre de nueve hijos y abuelo de 47 nietos, y recientemente, la organización Iniciativa Nacional [Americana] por la Paternidad le otorgó el premio a la paternidad.

ADVERTENCIA: El desempeño del pasado
no garantiza resultados en el futuro.

Si me encontrara un dólar cada vez que he visto esta advertencia legal de riesgo, sería multimillonaria. Se usa en todas partes, desde seminarios de inversión, programas de reducción de peso, estrategias de mercadeo en multiniveles, hasta en productos para dejar de fumar. Le quieren vender un producto o un servicio, pero casi nadie está dispuesto a arriesgarse a garantizar sus resultados. ¿Por qué? ¿Qué es lo que tiene de diferente el futuro? ¿Por qué no sería razonable esperar exactamente los mismos resultados que se obtuvieron en el pasado?

Me parece una dualidad interesante —¿por qué es que cuando compramos algo aceptamos inmediatamente que el pasado no tiene nada que ver con el futuro, y sin embargo, ese mismo principio no parece regir otras áreas de nuestra vida? ¿No es esa la razón por la que buscamos ayuda para manejar nuestras finanzas, o la razón por la que buscamos perder peso y estar en forma ya que si no hacemos nada el pasado será igual que el futuro? ¿No es la anticipación hacia el futuro precisamente la razón que nos lleva a buscar ayuda con nuestra situación económica y a tratar de perder peso y ponernos en forma? Sólo por el hecho de haber estado 15 años en un trabajo, en una relación, o en una situación en la que usted no se ha sentido feliz, no quiere decir que tenga que quedarse ahí. Sin embargo, si decide quedarse, entonces, razonablemente, no podrá esperar un resultado distinto. La clave para seguir adelante es tan simple como reconocer y aceptar que el pasado quedó en el pasado y tomar nuevas decisiones *ahora* para avanzar hacia un futuro nuevo e impactante. El pasado ya pasó. Y, sin embargo, ¿por qué es que muchos seguimos viviendo por las reglas y decisiones que tomamos hace años?

Una posible explicación de por qué tenemos ese impulso constante de hacer lo que no da resultado, es "la constancia". En su asombroso libro *Influencia: ciencia y práctica*, Robert B. Caldini habla de los seis principios básicos, y sin embargo extremadamente poderosos, de la Psicología que rigen el comportamiento humano. Estos son:

☞ Reciprocidad (el sentido de obligación de pagar con los mismos favores, regalos, invitaciones, etc.).

☞ Constancia (la necesidad de ser consecuente con las decisiones anteriores).

☞ Prueba social (la necesidad de contemplar lo que otras personas como usted están haciendo para determinar si cierto comportamiento es aceptable o no).

☞ Empatía (hacemos más por quienes nos caen bien).

☞ Autoridad (la necesidad de necesitar autoridad).

☞ Escasez (usada a menudo por vendedores para hacernos pensar que un producto escasea. El riesgo de no tenerlo motivará a la gente a tomar acción).

La constancia se relaciona con la necesidad innata de mantener firmeza en nuestras decisiones y comportamientos. Si usted se mantiene en una relación abusiva, por ejemplo, entre más tiempo siga en esa relación, sentirá una mayor motivación de permanecer así puesto que eso da validez a su decisión inicial. Los seres humanos queremos estar en lo cierto. Tenemos un deseo que raya en la obsesión, de querer ser y aparentar ser consecuentes con lo que ya hemos hecho. Una vez que tomamos una decisión o adoptamos cierta postura, nos sentimos atraídos de manera innata a cosas que afianzan, justifican y validan esa postura. Es una fuerza tan potente, que a menudo nos motiva a la acción o falta de acción que obviamente no nos será de ningún provecho.

Está también la cuestión de respuestas condicionadas y la existencia de senderos neuronales que permiten evadir el pensamiento consciente y ¡pasar directamente al comportamiento habitual! Entonces, hay que reconocer que existen fuerzas potentes a las que tenemos que enfrentarnos para resistir la tendencia a repetir el pasado.

Pero entender eso y tomar nuevas decisiones de manera deliberada puede romper esos patrones. El pasado prefigurará el futuro sólo si usted lo permite al no tomar las riendas de su propia vida. Vivir no es una actividad pasiva —tome acción y tome decisiones significativas.

Todos podemos dejar que nuestro pasado influya sobre nuestro futuro, y es lógico que así sea. Estamos hechos para aprender. De niños aprendemos que no debemos tocar la estufa. Pero no necesariamente es igual cuando ya somos adultos, cuando ya contamos con una gran capacidad cognitiva para tomar decisiones racionales y lógicas. Yo sé, por ejemplo, que puedo sacar algo del horno si me pongo guantes de protección. También sé que si toco la estufa por accidente, eso no me va a causar la muerte, y que poner la mano en agua fría ayudará a calmar el dolor. ¡Ahora cuento con más información!

Es normal sentir cierto recelo por el futuro cuando se le relaciona con experiencias similares del pasado que no dieron muy buen resultado. Puede ser que se resista a montar una nueva empresa porque su empresa anterior fracasó, o quizás esté dudando casarse por segunda vez por haber sufrido una gran desilusión en su matrimonio anterior. Quizás le cause terror hablar en público porque la última vez que lo hizo se derritió del miedo. El hecho de que eso haya pasado hace mucho tiempo cuando usted sólo tenía nueve años no parece disminuir el miedo, ¡aunque sí debería haberlo hecho!

¿Sabía usted…?

Lo que nos diferencia de los demás animales es la proporción en tamaño del lóbulo frontal con el resto del cerebro. Es en el lóbulo frontal donde residen la intención firme, la toma de decisiones, la regulación de comportamiento y la inspiración. Esta es la parte del cerebro que nos otorga la capacidad de elección, y nos permite explorar nuestro entorno para tomar nuevas decisiones. Si no tuviéramos el lóbulo frontal, automáticamente repetiríamos el pasado mediante respuestas condicionadas.

A menos que hagamos un esfuerzo consciente por usar el lóbulo frontal, estamos destinados a repetir el pasado, pues se ha demostrado que las neuronas que se disparan juntas, se mantienen juntas. Si practica algo repetidas veces, esas neuronas crean una relación a largo plazo —un sendero neuronal o "superautopista" en su cerebro. Esta relación le permite duplicar un resultado con mucha rapidez siempre y cuando exista la estimulación adecuada. Esto puede ser útil para cosas positivas, como aprender a tocar el piano, o también puede tener un efecto negativo, tal como estar airado todo el tiempo. El lóbulo frontal nos otorga libertad de elección. Es nuestra tarea ejercer tal libertad y aprender a evaluar cada situación con un nuevo enfoque en lugar de reaccionar de manera automática a los factores externos. Si seguimos usando respuestas automáticas que ya están configuradas en nuestro cerebro como resultado de situaciones del pasado y los resultados que obtuvimos, quiere decir que no estamos ejerciendo nuestra libertad de elección y vamos a seguir obteniendo los mismos resultados de siempre.

El lóbulo frontal nos permite romper esos patrones. Así como la práctica fortalece esos vínculos, la falta de uso también los debilita. Así pues, al romper esos patrones de comportamiento, hacer cosas nuevas y pensar de una manera nueva, usted podrá reestructurar su cerebro para crear un nuevo mañana.

Sólo con leer este libro y abrir su mente a nuevas perspectivas, ya está creando nuevos senderos neuronales, ¡y eso es algo emocionante!

Si hay algún concepto que quiera aplicar en su vida, me gustaría que sea este, ya que, en sí mismo, dicho principio lo liberará. A todos nos han ocurrido cosas en el pasado que no queremos que nos vuelvan a pasar nunca jamás. Sin embargo, ¡a menudo estas experiencias se usan como excusas para darle validez a la falta de acción actual!

El año pasado cumplí los 40. No me molestó mucho haber llegado a esta etapa crucial, pero sí me motivó a echarle un vistazo a mi pasado, reflexionar acerca de mi situación y lo que estaba haciendo. Por mucho tiempo soñé con escribir este libro —para compartir mis historias y experiencias con otros de una manera que los inspirara y capacitara para ¡abrir sus alas y levantar vuelo! Me veía hablando ante grandes multitudes, influyendo en el cambio de organizaciones y ayudando a individuos a vivir sus sueños mediante darle rienda suelta a los ilimitados recursos del su mente subconsciente. Y sin embargo me retraje. Estaba en un muy buen momento de mi carrera y no quise renunciar a la seguridad y certeza que puede brindar un salario considerable. Pero más importante aún, tenía miedo de fracasar pues ya había tenido mi propia compañía antes, y las cosas no funcionaron.

Mi negocio de venta de ropa llamado *From Here to Maternity*, resultó bien al principio y hasta gané algunos premios gracias a esta empresa. Infortunadamente, en el momento en que necesité fondos para una ampliación coincidió con la tragedia del 11 de septiembre del 2001. Aquel suceso tuvo un impacto tremendo de alcance internacional sobre los mercados financieros y se restringió severamente la disponibilidad de obtener fondos de inversión para proyectos como el mío. Al mismo tiempo, mi matrimonio de siete años terminó y nos vimos obligados a dividir bienes —hasta nuestra casa, la cual era la garantía principal sobre el préstamo comercial.

Estas dos pérdidas simultáneas fueron un golpe tremendo para mí. Perdí al compañero de mi vida (y su familia), y perdí mi negocio y la capacidad de sostenerme por mí misma. El colapso del negocio tuvo ramificaciones económicas significativas para mi ex y para mí. Prácticamente había quedado en la ruina. Tenía 34 años de edad —divorciada, desempleada, agotada en sentido emocional, y culpándome por todo esto.

El recuerdo de ese fracaso y mi temor en torno a que esto volviera a pasar, fueron la razón exclusiva y más grande por la que tardé tanto en montar mi empresa nueva, *Imagineering Unlimited.*

El factor determinante para mí fue una conversación que tuve con Debra Tate, una de mis mejores amigas. Ella me pidió que describiera el tipo de empresa que tenía en Canadá y que hiciera una lista de las razones por las que esta fracasó. Luego me pidió que describiera cómo sería mi nueva empresa y que fuera específica acerca de las maneras en que esta se diferenciaría de la que fracasó.

De inmediato me di cuenta que había varias diferencias entre la empresa que tuve en el pasado y el nuevo proyecto con el que quería arrancar. Entonces me dijo: "En una escala de 1 a 100, ¿hasta qué punto fuiste responsable de que la empresa que tuviste en Canadá fracasara?". Le dije: "La respuesta es fácil: 100%. Yo era la dueña y no tengo a nadie más a quien echarle la culpa".

Luego ella continuó: "¿Y qué me dices de tu divorcio? En una escala de 1 a 100, ¿hasta qué punto fuiste tú la responsable?" Después de meditarlo por un momento, respondí: "Siendo justos, creo que cada uno fue responsable un 50%".

Luego Debra me preguntó qué aprendí de cada situación. Cuando terminé de explicarle lo que aprendí ella se me acercó y me dijo: "Muy interesante. Fuiste responsable por tu divorcio en un 50%, aprendiste unas lecciones valiosas y ahora estás lista y dispuesta a arriesgarte de nuevo una segunda vez. Puesto que fuiste 100% responsable por el fracaso de tu empresa, ¿no es posible entonces que hayas aprendido el doble?"

Fue en ese preciso momento en que se despejaron los nubarrones. Nunca lo había visto de esa manera —siempre había dado por sentado que ser responsable 100% significaba una desventaja, pero en realidad se trataba de una ventaja pues debido a eso adquirí una mayor comprensión que me traería beneficios en el futuro. No sólo pude comprender que el pasado no es igual que el futuro, sino que también me di cuenta que podría deshacerme del miedo y la vergüenza de mis fracasos anteriores y enfocar mi energía 100% en mi futuro y mis nuevos sueños. Esta simple afirmación me ayudó a eliminar una creencia limitante que tenía acerca de mi capacidad para montar y manejar una empresa de éxito. Pues la empecé y también decidí comenzar a escribir este libro dos días después y no he vuelto a mirar atrás.

Cada noche, cuando llega a casa después del trabajo, usted abre su refrigerador o los gabinetes y busca los ingredientes necesarios para preparar su cena. Jamás se le ocurriría abrir la cesta de la basura en busca de las verduras, los ingredientes y los condimentos con los que va prepararla. Por lo cual surge la pregunta: ¿Por qué habría de fijarse en sus fracasos anteriores, en esencia la basura que hay en su mente, para determinar lo que podrá lograr en el futuro? Allí no va a encontrar sugerencias ni recomendaciones útiles, sólo encontrará el pasado y las razones por las que no va a lograr lo que se propone. Tal como señala acertadamente el Dr. Wayne Dyer: *"El pasado es como la estela que deja a su paso un barco. Eso no es lo que mueve al barco ni lo que determina su rumbo. Sólo es un rastro de donde ha estado".*

No es realista esperar que nos enfrentemos a toda situación nueva en la vida teniendo ya un historial impresionante de decisiones perfectas. Los reveses y fracasos ocurren —son parte del proceso de aprendizaje. Ningún invento ha sido creado por personas que tuvieran miedo de hacer el intento sólo por haber fracasado antes en sus esfuerzos. Fíjese en cualquier persona de éxito en la Historia y hallará a alguien que siguió intentando y que rehusó creer que su pasado prefiguraría su futuro. Su biografía no determina su destino —su pasado no tiene absolutamente ningún peso sobre lo que será su futuro, pero si continúa haciendo lo que siempre ha hecho, ¡entonces logrará lo que siempre ha logrado!

Cómo incorporar esta sabiduría en su vida

Cómprese dos papeleras pequeñas de plástico —una para el trabajo y otra para la casa. En cada una escriba con un marcador permanente: "El pasado no prefigura el futuro". Empiece a prestar atención a lo que dice —sea en voz alta o mentalmente. Si es posible, pídales a sus amigos y parientes que le ayuden a cumplir con lo que debe hacer. Cada vez que usted mismo se dé cuenta que, con base en los impedimentos y fracasos del pasado, está limitando lo que puede lograr en su futuro, escriba esa frase y póngala en la papelera junto con $1.

Haga inventario al término de cada semana. ¿Hay ciertas limitaciones específicas que parecen surgir vez tras vez? ¿Hay algunas áreas en particular en las que no esté logrando los resultados que quiere? ¿Podría ser posible que estas creencias limitantes estén contribuyendo a esto de alguna manera? ¿Qué significado nuevo necesita darle a su pasado para que pueda dejarlo atrás y seguir adelante?

Usted mismo se dará cuenta cuando ya no necesite estar al tanto de estos factores limitantes —empezará a obtener resultados diferentes en su vida. Como recompensa, use el dinero que ha puesto en la papelera para premiarse o para aportarlo a una causa noble que alegre su corazón.

Capítulo 28

"Si pudiéramos leer la historia secreta de nuestros enemigos, en la vida de cada uno encontraríamos suficiente dolor y sufrimiento como para desbaratar toda rivalidad".
—Henry Wadsworth Longfellow

Henry Wadsworth Longfellow (1807-1882) es probablemente el más amado de los poetas americanos y narradores de cuentos de todo el mundo. Por sus cuentos en rima de *Mamá Gansa* o por las palabras de canciones de cuna que aprendimos en la infancia, nos hemos familiarizado con varias de sus frases famosas. A pesar de que su padre quería que él llegara a ser un abogado, Longfellow sabía, por instinto, que había nacido para juntar papel y la pluma, y famosamente le escribió estas palabras a su padre: "El hecho es que, con gran anhelo, aspiro alcanzar un eminente futuro en la Literatura; mi alma completa arde con fervor por ello, y cada pensamiento terrenal se centra en ello…". Se casó dos veces durante el transcurso de su vida, pero ambas esposas murieron en circunstancias trágicas —una de ellas por enfermedad y la otra en un incendio.

La palabra *perdonar* se traduce del latín *perdonare,* que significa dar por completo y sin reservas, o dar completamente. En griego, *perdón* significa lo mismo que soltar o liberar. Ambas definiciones evocan sensaciones de emancipación, resolución y libertad. Su origen semántico nos da la idea de un proceso natural y de benevolencia —algo que uno le DA con generosidad a otras personas para librarlás del pasado y también librarse uno mismo. En la práctica, a menudo se malentiende como algo que debe PEDIRNOS quienquiera que nos haya ofendido.

Nuestro aliento es el don más precioso que tenemos —sin él, sencillamente moriríamos. Podemos vivir por corto tiempo sin comida, agua, amor y luz, pero no podemos vivir por más de uno o dos minutos sin aire. Respirar y exhalar equivalen a la naturaleza ineludible del ciclo de la vida: introducimos en nuestro cuerpo el oxígeno que necesitamos para vivir y soltamos o liberamos dióxido de carbono y otros subproductos que ya no necesitamos.

Las experiencias de la vida se asemejan a este proceso natural de una manera impresionante. Constantemente asimilamos o respiramos el mundo que nos rodea, y nuestro trato con los demás produce una inmensidad de consecuencias —algunas positivas y otras no tanto. Infortunadamente, las experiencias negativas o dolorosas son inevitables. Como seres humanos, todos tenemos la capacidad de infligir daño con nuestras palabras, acciones y pasividad, sea a propósito o sin intención. Pero todos sabemos que no podemos aguantar la respiración eternamente, la liberación de subproductos y de cosas que ya no nos sirven es una función instintiva. Del mismo modo, tarde o temprano, todos tenemos que descubrir nuestra capacidad innata de perdonar.

El perdón, así como exhalar, es un acto de fe. No es algo que se pueda impedir ni forzar. No está comprobado que después de otorgar perdón hallemos paz, o que podamos librarnos de inmediato de la ira, la venganza o la arrogancia.

Cuando mi madre murió, era comprensible que me sintiera increíblemente airada. Siempre dije que si la policía no hubiera ya arrestado a los jóvenes responsables de su muerte, probablemente yo los habría matado con mis propias manos. Para sorpresa, a medida que el impacto y la pena fueron disminuyendo con el paso del tiempo, mi ira más bien aumentó. Estaba airada con el mundo entero y enfurecida con Dios por habérmela quitado. Estaba resentida por el hecho de que todos a mí alrededor seguían adelante con sus vidas y porque dos de los culpables, por tener apenas 16 años de edad, sólo habían recibido sentencias de tres años en prisión por el delito de conspiración para cometer asesinato en primer grado. Su edad no les impidió asesinar a mi Madre, entonces, ¿por qué debería impedirles que pagaran por su crimen? ¿Cómo puede haber sido posible que alguien por haberle quitado la vida a una mujer asombrosa —alguien que tenía tanto que dar— y que aportó tanto, sólo mereciera una sentencia de tres años? Hay delincuentes que van a la cárcel por más tiempo y por delitos menores contra la propiedad.

Pero ellos podrían quedar en libertad y volver a vivir normalmente en sólo tres años, mientras yo fui condenada a cadena perpetua.

También me fue difícil aceptar el hecho de que mis abuelos hubieran decidido perdonar a los cuatro autores del crimen casi de inmediato. Mis abuelos tenían creencias religiosas fuertemente afianzadas y consideraban que era imperativo otorgar perdón sin demora. Me habían criado de manera que creyera en Dios y buscara hacer lo correcto, pero yo no podía lograrlo. Entre más insistían y me presionaban, más me resistía. Sencillamente, no estaba lista —el hecho de que los responsables del crimen no dieran muestras de arrepentimiento parece haber reforzado mi determinación a no dejarlos en libertad en sentido emocional. Quizás algo que ellos comprendieron antes que yo, es que perdonar no se trata de dejar que otros se salgan con la suya, o librarlos de la responsabilidad de rendir cuentas por sus actos, sino más bien, que el perdón es el don superlativo de autoaceptación y amor. En esencia, es elegir no herirse a sí mismo por las cosas que ya no se pueden cambiar. Al perdonar a otros usted también se perdona a sí mismo y eso es lo que nos hace sentir libres.

Pero en aquella época no entendí su verdadero significado. Tenía muy poco apoyo emocional debido a que mi padre se sintió obligado a salir en defensa de mi hermano. Por muchas razones, creo que se sentía moralmente culpable por lo ocurrido. La violencia genera violencia, y nos habíamos criado en un hogar en el que el alcoholismo, las amenazas y el abuso eran parte del vivir diario. Él también dirigió gran parte de su odio hacia mi madre después del divorcio y mi hermano se dejó llevar por esa misma actitud. De distintas maneras, no es de sorprenderse que las cosas hayan pasado así. Yo siempre supe que alguien iba a salir lastimado, pero nunca me imaginé que ese alguien perdiera la vida.

De todos los capítulos de este libro, este fue el más difícil de escribir. Me tomó seis años perdonar a mi hermano y a los otros jóvenes que estuvieron involucrados. Nunca entenderé por qué lo hicieron, pero he decidido aceptar que quizás todos ellos tenían su propia historia secreta llena de dolor y sufrimiento.

En el caso de mi hermano, fui testigo de su sufrimiento y angustia. De jovencito se sentaba en la cama a llorar —en incontables ocasiones mi papá le había prometido que vendría a visitarlo, pero nunca llegaba. Siempre había alguna excusa, pero por lo general, sabíamos que en realidad se había ido al bar a beber con sus amigos. Siempre había algo o alguien más importante que las promesas que nos había hecho a nosotros.

En muchas ocasiones se olvidó de nuestros cumpleaños y de las navidades —mi Madre compraba y envolvía regalos que supuestamente él nos había mandado para hacerlo quedar bien. Él también nos llamaba o nos enviaba cartas —en estas le decía a mi hermano que mi Madre era la culpable de que él se hubiera ido y de que ya no fuéramos una familia. Yo no me dejaba engañar. Yo tenía seis años más que mi hermano y había escuchado las peleas —cuando él llegaba a casa borracho le decía que la odiaba, y amenazaba con matarnos a todos.

Nunca olvidaré el día que viajé a la cárcel para ver cara a cara a mi hermano. Habían pasado seis años desde la muerte de Mamá y yo había oído que él quizás recibiría libertad condicional anticipada. Me sentí abrumada por el temor y la ansiedad de tal vez encontrármelo en la calle. Había estado escribiendo en mi diario y orando todos los días durante casi un año para hallar las fuerzas y la serenidad para perdonarlo y olvidarme de esto. Cuando me enteré de su liberación cercana, en ese instante tomé la decisión de perdonarlo y de decírselo cara a cara.

Fue el viaje de hora y media más largo de mi vida. Miré el nombre de cada calle, cada poste de luz, cada cerca y edificio a lo largo de ese tramo de carretera como si fuera la última vez que los iba a ver. Tantos pensamientos y emociones pasaban centelleando por mi mente. Ensayé y repasé vez tras vez en mi mente lo que iba a decir. Todo parecía tan sistemático, un ejercicio esotérico, metódico. El encuentro mismo fue una experiencia totalmente distinta a lo que me había imaginado. Recuerdo cuando lo vi por primera vez —se veía tan pequeño, retraído e indefenso. Ni siquiera estoy segura de si lo hubiera podido reconocer en caso de habernos topado en la calle. Ninguno de los dos dijo mucho. Yo traté. Ya había planeado y repasado todo en mi mente. Pero lo único que pude hacer fue ponerme a llorar. Lloré por el hecho de que ella había sufrido tanto. Lloré por el sentimiento de pérdida y aceptación que experimenté ese día al llegar al comprender por fin que ella nunca más estaría de nuevo a mi lado. Lloré por el hecho de que no había hablado con mi hermano ni con mi padre por seis años.

La imagen que había creado en mi mente de él había sido la de un monstruo. En realidad, todo lo que vi ese día frente a mí fue al niñito asustado que solía sentarse en su cama a pensar por qué su papá se había ido de la casa y no había venido a visitarlo el día de su cumpleaños. Sentí como mi ira y enojo se derritieron en el instante, y en el fondo descubrí un mar de lágrimas y pena. Sólo fue hasta entonces cuando pude iniciar mi proceso de recuperación. Había pasado seis años castigándome a mí misma y a todos los demás por algo que sencillamente ya no se podía cambiar. Irónicamente, para el momento en que tomé la decisión inicial de querer perdonar, ya había logrado hacer un 70% del trabajo requerido en este proceso. El resto encajó de forma fácil y natural hasta cierto punto. La parte más difícil es decidirse a querer perdonar.

El día en que lo vi, supe que lo había perdonado, pues la ira y el resentimiento se desvanecieron y mis sentimientos verdaderos de pena infinita y pérdida salieron a flote. Me sentí destrozada. De repente, me di cuenta que el perdón no era el final del proceso de recuperación, ¡sino el comienzo! La ira que sentía y el rehusarme a otorgar perdón sólo habían servido como una venda de protección que me ayudaba a aislar el dolor y la traición latentes en el fondo. Al ver a mi hermano fue como haberme quitado esa venda y haberme sumergido hasta la parte más profunda de esos sentimientos. Haber podido encontrar esa verdad me permitió enfrentar mis emociones con sinceridad, sentir el dolor y encontrar la manera de asimilar la situación. No tenía razón para seguir culpándolo por el dolor, además, era obvio que él estaba sufriendo y luchando contra sus propios traumas.

Lo mismo es cierto en cuanto a mi padre, aunque todavía hay veces en que me es difícil ver la situación de la misma manera. También he llegado a entender que el perdón no es una cuestión que se resuelve de una vez y para siempre, más bien es un proceso continuo y gradual. Algunos días voy más a la par de ese proceso que otros. Creo que parte de ello es porque se trata de mi padre. Se supone que los padres deben proteger y cuidar a sus hijos, estar dispuestos a apoyarlos en los tiempos difíciles, sin embargo, él nunca lo hizo. Me parece que él nunca asumió su responsabilidad por las cosas que pasaron en nuestras vidas, y no me cabe la menor duda de que sus sentimientos nocivos en contra de mi Madre son la razón por la que ya ella no está con nosotros.

Pero estoy mejorando, y aún hay días en que se me hace difícil creer que hayan pasado estas cosas en mi vida. Pero estoy segura de que un día lo voy a perdonar por completo. No sé si algún día nuestra relación llegue a ser significativa, pero encontraré la manera de enterrar todo esto. Como muy bien señala Beverly Flanagan, la autora del libro *Forgiving the Unforgivable —Overcoming the Legacy of Intimate Wounds:* "En cierta forma, el perdón es sólo para los valientes. Es para las personas que están dispuestas a enfrentar su dolor, aceptar que ellos mismos han cambiado para siempre y tomar decisiones diferentes. Hay un sinnúmero de personas que son felices guardándole odio y rencor a quienes les han hecho un mal. Se zambullen en sus propios venenos internos y a la vez salpican a quienes están a su alrededor. Por otro lado, quienes perdonan no quieren estar metidos en un barrizal. Ellos rechazan la posibilidad de que las acciones injustas e hirientes de otra persona determinen cómo será el resto de sus vidas."

Yo no quiero zambullirme en el barrizal de mi veneno interior. Tal como dice Honore De Balzac, "El corazón de una madre es como un abismo profundo, pero en el fondo de ese abismo, siempre hallarás perdón". Yo sé que a mi Madre le agradaría que pueda perdonar por completo y que sigua adelante con mi vida. Y lo he logrado hasta cierto punto, pero todavía me faltan unos cuantos pasos más por recorrer.

Muchos han dicho que en realidad no se puede lograr una comprensión total de lo que es la vida hasta cuando nos enfrentamos a la muerte —que no podemos captar el cuadro entero hasta cuando nos hallamos de cara a una muerte segura. ¿Qué hay si pensáramos el asunto como si ya estuviéramos en nuestro lecho de muerte? ¿Cambiaría eso la manera en que escogemos jugar las cartas? ¿Nos llevaría a perdonar sin demora?

Dudo que estando en nuestro lecho de muerte, cualquiera de nosotros diría: "Cómo quisiera aferrarme más a la ira y al resentimiento, o quisiera esperar un poco más antes de perdonar". De hecho, si usted mirara hacia el futuro y se imaginara al mundo y todas sus relaciones desde una perspectiva en la que tuviera la completa certeza de que mañana fuera a morir, ¿actuaría de otra manera el día de hoy?

¿Se arrepentiría de no haber llegado al punto de aceptación? ¿Se lamentaría por los años que pasó esclavizado a la amargura, la culpa y la indignación? ¿Lamentaría la pérdida del placer, el amor y la paz que hubiera podido experimentar si tan sólo hubiera encontrado la manera de perdonar sin demora? ¿De verdad son tan importantes esos disgustos y rencores a los que se está aferrando ahora?

A menudo se piensa en el perdón como un asunto perteneciente a la religión. ¿Es quizás esa la razón por la que muchos de nosotros nos resistimos y nos rebelamos contra este proceso tan natural e innato? Lo vemos como algo que alguien más nos dice que tenemos que hacer, en lugar de verlo como una parte integral, natural e inherente de la vida. Prescindiendo de cuál sea nuestra religión, nos han enseñado que 'perdonar y olvidar' es un mandato. Nuestros guías maduros espiritualmente nos amonestan por no aprender a olvidar, sin embargo, vemos todo lo contrario en quienes deben ser ejemplos de conducta, quienes por años y hasta décadas cargan consigo heridas y rencores de todos los tamaños. Como en la mayoría de los casos, prestamos atención a lo que hacen y no a lo que dicen.

Por haber relegado el perdón exclusivamente al ámbito religioso, la verdad es que nos hemos hecho un gran daño a nosotros mismos. En las palabras discernientes de Tian Dayton, autor de *La magia del perdón,* "Mandamos nuestros cuerpos al médico, nuestras mentes a la escuela, nuestras emociones a los terapeutas y nuestras almas a las instituciones religiosas". Nuestra capacidad para perdonar afecta mucho más que sólo nuestras almas. Ya se ha demostrado científicamente que lo que pensamos y sentimos se refleja en nuestro cuerpo físico y también afecta todo, desde nuestro bienestar emocional hasta la manera en que vivimos y morimos.

Nunca es fácil perdonar, pero es indispensable hacerlo — es necesario para librarnos de un ciclo vicioso, autodenigrante de recriminación, ira, sed de justicia y venganza. Ninguno de nosotros es perfecto, y por ello, todos estamos destinados a pasar por ambas experiencias —la necesidad de perdonar y el deseo de ser perdonado. ¿Quizá sea esa la razón por la que la cita de Longfellow sea tan conmovedora? Pues es precisamente en el momento en que nos vemos impelidos a otorgar libertad y dejar todo atrás, que recordamos la necesidad de sentir compasión por el dolor y el sufrimiento de nuestros enemigos.

Todos conocemos bien nuestra propia pena —conocemos en detalle las injusticias que hemos sufrido, las cruces que hemos cargado, y las incontables noches que nos hemos quedado dormidos en medio del llanto. Lo que no podemos comprender por completo es la profundidad de la pena de otros —el abuso, el descuido, los prejuicios, la angustia, la pérdida, el tormento o las aflicciones de las que nadie quiere hablar. En el momento pesamos que somos los únicos que estamos sufriendo y olvidamos que las cicatrices y cargas que otros llevan no siempre están a simple vista. Nunca podemos conocer de verdad el sufrimiento de alguien más hasta cuando nos toca caminar una milla en sus mismos zapatos. Como acabo de decir, el primer paso hacia el perdón es sencillamente estar dispuestos a quitarnos nuestros zapatos y ponernos los de la otra persona. Puede ser que de ahí en adelante el proceso no parezca tan difícil.

¿Sabía usted...?

La conexión que existe entre lo que sentimos y cómo esto afecta nuestra salud fue registrada por primera vez hace 2.000 años por Galen cuando observó que las mujeres depresivas eran más propensas al cáncer que las mujeres de buen ánimo. Desde entonces, las pruebas que apoyan esta hipótesis han ido aumentando. La más convincente de todas fue una consolidación de 101 estudios menores realizados por Friedman & Boothby-Kewley. El estudio confirmó que las emociones negativas, tales como la ira, el resentimiento, la hostilidad y la tristeza —el sello distintivo de quienes no pueden perdonar—, duplican el riesgo de enfermedades como el asma, la artritis y los problemas cardiacos.

El veneno interno que mencionó Beverly Flanagan no es metafórico, es real. Las emociones que experimentamos debido al resentimiento y el dolor que canalizamos hacia otra persona, crean un ambiente tóxico para nuestro propio cuerpo; por lo cual surge la pregunta: ¿Quién es el que en realidad está sufriendo debido a su incapacidad para perdonar? ¡Uno mismo y nadie más!

Cómo incorporar esta sabiduría en su vida

La dificultad para perdonar es que esto implica decirle a la otra persona, "Lo que hiciste estuvo bien". Pero eso no es de lo que se trata el perdón. Se puede perdonar a alguien sin justificar o excusar sus acciones. El perdón se trata de librarse usted mismo del pasado para que pueda avanzar hacia el futuro sin envenenar su vida.

No hay manera fácil de hacerlo, así que no voy a decirle que tengo un ejercicio sencillo que lo vaya a curar de manera milagrosa de su ira y su resentimiento. Primero, usted simplemente tiene que tomar la determinación consciente de dejar todo atrás. Querer perdonar es sólo el 70% de la batalla.

Trate de determinar si hay algo en la vida de la otra persona por lo cual usted sentiría compasión. Quizás si usted pudiera ver a esa persona como a un niñito asustado, podría empezar a darse cuenta que todos estamos haciendo lo mejor que podemos con los recursos que creemos tener disponibles en el momento. Tal vez esta persona ha hecho un contrato espiritual con usted para herirlo de esta forma para que así usted pueda crecer y evolucionar en sentido espiritual. Si es necesario, vuelva al capítulo 21 y repase la historia La pequeña alma dentro del sol. Encuentre la forma de dejarlo todo atrás —de la manera que a usted le parezca mejor. Sobre todo, es la libertad que usted se merece.

Capítulo 29

"Lo verás cuando creas en ello".
—Wayne Dyer

Wayne W. Dyer, Ph.D., es un autor y conferencista reconocido internacionalmente en el campo del desarrollo personal. Ha escrito 30 libros, ha creado muchos programas de audio y ha participado en miles de programas de radio y televisión. Al doctor Wayne Dyer sus admiradores le dicen cariñosamente "El padre de la motivación". A pesar que su niñez la pasó en orfanatos y casas de auspicio, el doctor Dyer ha vencido muchísimos obstáculos para hacer que sus sueños se conviertan en realidad. En la actualidad dedica su tiempo y energías a enseñarle a otros a hacer lo mismo.

Para mí esta cita señala la necesidad de la fe. No en el contexto religioso sino más bien, en la simple habilidad de creer en algo sin importar si hay una demostración de prueba. Con bastante frecuencia escuchamos las palabras "Yo creo en lo que veo". Esta mentalidad de "Compruébamelo primero" es bastante dominante en la cultura occidental. Y sin embargo, la cita de Dyer es particularmente intrigante porque es la antítesis perfecta de todo aquello que se nos ha instado a creer. Existen cosas que nunca podremos probar. La religión está fundamentada en una teoría que ostensiblemente es imposible de probar, y sin embargo, provee alivio a billones de personas en todo el mundo. Y es tan así, que si se encontrara prueba de que ninguna de estas fuera verdadera, la gente todavía continuaría creyendo.

¿Qué hay si pudiéramos infundir esa certeza y creencia en nosotros mismos? ¿Qué hay si pudiéramos creer en nuestra propia habilidad y potencialidad sin importar lo que haya ocurrido en el pasado? Wayne Dyer nos recuerda que esta forma de pensar es imperativa si hemos de transformar nuestras vidas hacia lo mejor. Tenemos que llegar a creer que es posible que las cosas se puedan realizar ANTES que estas lleguen a materializarse en la realidad física.

Todo tiene un inicio en la mente. Todo lo que usted ve alrededor en términos de inventos y de comodidades modernas comenzó primero como un simple pensamiento en la mente de alguien. Esa persona creyó lo suficiente en lo desconocido de modo que pudiera continuar con su proyecto y desarrollar su pensamiento hasta que lo materializó en la realidad física.

De lo que estamos hablando es de tener la certeza, es decir, una confianza completa o fe en que algo se puede realizar sin importar si existe o no evidencia de su factibilidad. Cuando tenemos la certeza de algo, es cuando esa certeza se manifiesta a nuestro alrededor. Sin embargo, pareciera que la certeza tuviera la cualidad del mercurio. Vivimos en un mundo de incertidumbre donde es difícil saber lo que va a suceder en el siguiente momento. Todos los días enfrentamos noticias negativas que sacuden nuestra confianza y rompen en pedazos nuestro sentido de certeza. Entre las cosas que obran en contra del desarrollo de nuestra capacidad de certeza están el terrorismo, la enfermedad, las tragedias, las injusticias, y los desastres naturales.

La necesidad de tener certeza es una de nuestras necesidades más fundamentales, y esta necesidad es algo inherente a todas las personas. Sin importar el sexo, la raza, la religión, la cultura o los antecedentes los humanos, con frecuencia preferimos tener la certeza por encima de cualquier otra cosa. Lo conocido nos permite disfrutar de la seguridad y la comodidad y por ello no sorprende que nos atraiga tanto. Esto significa que la mayoría de nosotros intentamos evitar aquello que no conocemos o que no entendemos. Cuando no contamos con la suficiente certeza para interactuar con el mundo, hallamos muchas dificultades. En lo más profundo de nuestra mente, la certeza es sinónimo de supervivencia.

Así que la pregunta que nos podemos plantear es: ¿Cómo construir un grado de certidumbre en nuestra vida? A pesar que todos compartimos la misma necesidad, todos tenemos diferentes estrategias para incorporar la certidumbre. Algunas de estas estrategias son negativas y las otras son positivas. Para tener el sentido de control en otras personas, muchos amenazan con irse, utilizan la violencia, se entregan a su trabajo o se desvinculan emocionalmente. Otras personas utilizan cigarrillos, comen en demasía o se refugian en el dinero para tener un sentido de certidumbre o comodidad. Y aún otras más crean un sentido de identidad negativa para dar la ilusión de consistencia o predictibilidad; piense por ejemplo en esta frase: "Yo no tengo suerte, siempre me pasa lo peor, así que haber perdido el empleo no es una sorpresa". En ocasiones, hasta vamos tan lejos como sacrificar otras necesidades tan importantes como el amor y los vínculos, o el sentido de propósito, para asegurarnos de sentir certidumbre. Piense en la persona que permanece en una relación abusiva. Su necesidad de certidumbre puede suprimir todas las demás necesidades.

Irónicamente, es en este tipo de situaciones en las que la cita del doctor Wayne Dyers es tan importante. Dentro de cada uno de nosotros hay una fuente de fe y certeza. Es posible que la haya dejado de experimentar hace décadas pero lo cierto es que todavía está ahí. Todos tenemos los recursos que necesitamos para hacer cambios y construir la vida que realmente deseamos. Dentro de nosotros existe un sistema que consiste en tan sólo tener fe y creer que es posible, con el cual las posibilidades de alcanzar objetivos se vuelven infinitas. Pero el punto es que primero usted tendrá que creer que es posible antes de poder conectarse a esa fuente ilimitada de posibilidades. Ese es el meollo del asunto...

Sin importar las estrategias que usted emplee para obtener un sentido de certeza, es un asunto de hábitos. A fin de tener éxito, usted necesitará ampliar su epistemología, que consiste en la totalidad del alcance de los hábitos entre los cuales usted puede escoger. Cuando usted reconoce la incertidumbre pero de todos modos actúa de forma positiva, deja atrás el temor y las ansias de tener certidumbre. Es como Anthony Robbins lo expresa: "Aquello que temes hazlo, y verás que el temor se desvanece". Cuanta más certeza tenga usted y cuanto más expanda su epistemología, mejores resultados exitosos obtendrá en la vida.

Piense en ello, si usted desea ser una persona altamente exitosa es posible que hayan áreas en las cuales tenga que operar en las que usted no comprenda exactamente todo lo que hace. Pablo Picasso dijo en una ocasión: "Siempre hago cosas que no puedo hacer, así es como consigo hacerlas". ¡Y lo logró! Picasso creó algunas de las obras más famosas y memorables que el mundo del arte y la escultura han conocido. A fin de alcanzar el éxito y el progreso en lo que se proponía, Picasso reconoció la necesidad de crear la certidumbre a partir de la incertidumbre. Tenía fe en sí mismo, y sin importar en la situación en la que se encontrara, sabía que tenía en su corazón los recursos y la habilidad para encontrar una solución.

Si usted permanece en su zona de confort donde las cosas ya tienen la medida apropiada de certidumbre, nunca podrá avanzar o aprender nada nuevo. Si usted no aprende nada nuevo, la química de su cerebro no podrá ser alterada y usted continuará repitiendo los patrones de comportamiento viejos. El grado en el que usted aspire alcanzar grandes cosas y resultados en cada área de su vida, será directamente proporcional a la cantidad de incertidumbre que necesitará vencer para obtener resultados en esas áreas.

Resulta bastante interesante que las decisiones más importantes que tomamos en la vida siguen a eventos que no podemos preparar o anticipar. La persona que usted ama muere en un accidente, usted pierde su empleo justo antes de la Navidad, se diagnostica a un ser amado con una enfermedad grave, su cónyuge es trasladado por trabajo a otra ciudad, usted descubre que está embarazada, o pierde USD $100.000 en la bolsa de valores. Por su naturaleza, estos eventos crean un nivel de incertidumbre, lo cual resulta bastante incómodo. En ese punto los cambios y el crecimiento son, no sólo inminentes, sino también inevitables. Este tipo de situaciones que cambian la vida ocurren sin importar que los podamos controlar o no.

La certidumbre verdadera tiene que ver muy poco con los eventos externos pero sí mucho en relación con lo que somos en nuestro interior. Nadie puede arrebatarnos el sentido de certidumbre o certeza: pero uno sí puede privarse de ella cuando se hace el tipo de preguntas incorrectas o cuando nos apoyamos en hábitos que no son útiles. Si continuamos haciéndonos las preguntas equivocadas o si repetimos hábitos que crean más incertidumbre o dudas nunca lograremos tener la vida de nuestros sueños.

¿Sabía usted...?

Podemos ver cómo funciona este fenómeno en algunas culturas indígenas. Por ejemplo, el poder del vudú se atribuye a nada más que a la certeza de "señalar un hueso" y puede resultar en muerte. Es certidumbre mental lo que hace que se desarrolle la enfermedad o que se produzca la muerte y no necesariamente a un poder místico del chamán.

Todos pasamos por un mal momento cuando enfrentamos una incertidumbre mayor. Nos sentimos abrumados, sin control y asustados. Yo recuerdo vívidamente el día que supe que mi madre había sido asesinada. Estaba en un estado de choque total y ni siquiera estaba segura de poder pasar viva esa noche. Al principio, creé una identidad negativa de víctima para crear un sentido de consistencia y certidumbre en mi mundo. Sin embargo, a medida que el tiempo pasaba, empecé a darme cuenta que este hábito no me proporcionaba ningún tipo de certidumbre y que no estaba obteniendo los resultados que deseaba. Algo tenía que cambiar y ese algo no estaba en el exterior, estaba en mi interior.

Lo que me ayudó a salir adelante fue tener el sentido profundo de que ya había pasado lo peor. Saber eso me permitió entender que si había pasado por eso, no había nada más terrible que me pudiera pasar. Me di cuenta que necesitaba desesperadamente modificar los hábitos que había formado, tener acceso a un mejor tipo de información, empezar a hacerme más preguntas útiles y encontrar la fe en algo mucho mayor que aquello que pudiera ver con mis ojos. Encontré la cita de Richard Nixon, la cual aparece en el capítulo uno de este libro: *"El mejor acero pasa a través del juego más caliente"* y la adopté como parte de mi nueva identidad positiva. El día en el que finalmente me di cuenta que era un mejor acero fue cuando me miré en el espejo y vi el reflejo de una sobreviviente y de alguien que podía ayudar a otros genuinamente a encontrar el camino a través de los tiempos difíciles. Mis experiencias me dieron un entendimiento singular de qué es lo peor que se puede experimentar en la vida y que es posible encontrar el camino a pesar de la oscuridad.

Cuando descubrí cómo crear la certidumbre a partir de la incertidumbre, se abrió un nuevo mundo de oportunidades para mí. Poco después, enfrenté uno de mis mayores miedos y aprendí a nadar... ¡a la edad de 28 años! Cuando era niña tuve varias experiencias negativas y me aterrorizaba la idea de entrar en el agua cuando la profundidad de esta era mayor a mi estatura. La incertidumbre de no poder ver ni tocar el fondo me asustaba, y por lo tanto, huía o me excusaba a fin de no tener que enfrentar el miedo. La consecuencia de esto era que perdía valiosas oportunidades de pasar tiempo con mis amigos en la piscina o en el lago porque necesitaba tener la absoluta certeza en esta área de mi vida.

Cuando me di la oportunidad, descubrí no sólo que era una buena nadadora, sino además que me encantaba estar en el agua. En la actualidad disfruto de nadar, navegar, bucear con tubo y hacer submarinismo. Me estuve perdiendo de algo (que adoro hacer) durante 28 años porque necesitaba "verlo" antes de "creerlo". Necesitaba saber que iba a estar bien antes de darme la oportunidad. Pero la vida no funciona de ese modo —uno tiene que tomar la opción primero.

Cómo incorporar esta sabiduría en su vida

Una de las formas más simples y poderosas de cambiar las creencias respecto de sí mismo es mediante la hipnosis. Un hipnoterapeuta experimentado puede ir más allá de la mente consciente y explorar las creencias, emociones, actitudes y valores de la mente inconsciente, los cuales pueden estar haciendo que usted se retenga de alcanzar sus metas.

Maxwell Maltz de Psico-cibernética se dio cuenta que a pesar de su pericia como cirujano plástico algunos de sus pacientes no evidenciaban mejoras. Su "autoimagen" interna no cambiaba a pesar de que el desfiguramiento de su rostro ya lo había hecho. El doctor Maltz pasó a crear la Psico-cibernética con el propósito de que sus pacientes pudieran crear una autoimagen positiva sin importar los eventos o rasgos externos.

Hasta cierto grado, usted y yo hemos atraído a nuestra vida todo lo que tenemos basándonos en nuestra autoimagen que tenemos hasta la fecha. No lograremos mucho en cuanto a hacer esfuerzos conscientes si nuestra autoimagen inconsciente es negativa o destructiva. Repetirse 10.000 veces al día a sí mismo la frase "Soy rico" no hará ninguna diferencia si su autoimagen cree que siempre será pobre. Usted tendrá que recrear la autoimagen subconsciente, es decir, imaginar vívidamente en el teatro de su mente lo que desea, de modo que esta pueda encajar con sus elecciones conscientes. Cuando la mente consciente y la mente inconsciente se encuentran alineadas congruentemente, entonces ocurren cosas sorprendentes. Esta es básicamente la esencia de la ciencia de la Psico-cibernética, la cual utilizo con mis clientes para lograr cambios y resultados duraderos.

Capítulo 30

"Nuestro carácter es lo que se esconde en la oscuridad".
—Dwight L. Moody

Dwight Lyman Moody fue un evangelista norteamericano que fundó la iglesia de Moody. Se le considera el principal evangelista del siglo XIX porque congregaba a muchedumbres de hasta 30.000 personas. Su madre luchó por salir adelante a pesar de tener nueve hijos y un esposo alcohólico que murió a los 41 años de edad. A pesar de las dificultades que enfrentaban, su madre se las arreglaba para enviar a sus hijos a la iglesia. Moody logró fundar un buen número de escuelas, así como el Instituto Bíblico Moody y la Editorial Moody.

Yo he experimentado la oscuridad en varios momentos de mi vida y si al carácter se le ilustra en esos momentos, no puedo indicar menos que el marcado contraste del carácter que se evidenció en la corte, en el caso de mi hermano y los otros perpetradores. Yo estaba dividida entre hacer lo correcto —decir la verdad sobre lo que había presenciado durante los meses previos a la muerte de mi madre— y no querer testificar en contra de él. Mi padre estaba muy furioso conmigo. Sentía que si yo testificaba, mi hermano de seguro iría a la prisión. Él se sintió impulsado a apoyarlo y a hacer lo posible para evitar que fuera a la prisión por lo que contrató a un reconocido abogado para asegurarse de que tuviera la mejor sentencia posible. Mi padre me llamó justo después del funeral de mi madre para insistir en que yo no testificara. No mostró compasión por la desesperación que yo sentía, tampoco explicó lo difícil que era esa situación para él; dividido entre dos hijos que amaba, no me dijo lo responsable que se sentía, ni cuánto sentía lo que había sucedido. Tampoco me habló del remordimiento que sentía mi hermano. Al contrario, se mostró agresivo y me dijo en términos inequívocos que si yo testificaba y si él iba a prisión, sería mi culpa.

Yo me sentía devastada. Aquella fue la última conversación que tuvimos en 10 años. Me sentí totalmente traicionada y en ese momento me di cuenta que estaba totalmente sola. Extrañaba a mi madre. Mi hermano estaba en la prisión. Me sentía perturbada por tener que testificar en contra de él y sentía que mi padre lo había puesto en contra mía. Pero eso era lo de menos; había perdido a mi familia entera.

Yo no quería participar en enviar a mi hermano a prisión pero al mismo tiempo tenía que hacer lo correcto y defender a mi madre. Se debía hacer justicia —se lo debía a mi madre.

Nada de lo que hice antes me preparó para testificar en la corte. Estaba absolutamente aterrorizada y abrumada por mis emociones. La corte estaba abarrotada con observadores, la policía y los medios. Sentía que los ojos de todos estaban sobre mí, haciendo escrutinio de cada palabra que pronunciara.

Nunca antes y nunca después sentí tanto temor. Mis rodillas temblaban y escasamente podía caminar o ponerme de pie. Estaba hiperventilando —sentía náuseas y tenía dificultades para decir cada palabra. Ni siquiera podía mirar vagamente en dirección a mi hermano. Cuando tuve que señalarlo, sólo lo hice de forma general. Intenté fijar la vista en el fiscal principal, Darwin Greaves. Él era alguien en quien yo confiaba y sabía que podía apoyarme en él. Él me ayudó a hacer frente a la situación —sabía exactamente qué hacer para cuidar de mí y sacarme del estrado tan pronto como fuera posible. Fue un enviado de Dios. No recuerdo ni la mitad de lo que dije. Sólo quería hacer lo que tenía que hacer e irme de allí tan rápido como pudiera.

Todos hemos leído reportes noticiosos de crímenes violentos o escuchado partes de los detalles de estos en las noticias, pero uno nunca estamos preparados para oír cuando los perpetradores describen los detalles horrendos de un crimen que han cometido en contra de alguien que uno ama. Nunca olvidaré la mirada en el rostro de mi abuela cuando escuchó a uno de los muchachos involucrados decir que "parecía un pollo muerto mientras sangraba y moría en la alfombra". Uno de ellos se rió diciendo que había tenido que patear su rostro para ver si había muerto.

Mi abuela se sentó varias filas detrás del escritorio del fiscal. Desde allí escuchó el juicio completo y toda la evidencia. Escuchó los detalles sangrientos de cómo habían asesinado a su hija. Sin duda mi madre se sintió aterrorizada mientras era apuñaleada y estrangulada en su propia casa, en medio de la noche por unos muchachos que ella debió reconocer. Aquellos eran muchachos que ella misma había invitado a su casa, jóvenes que habían comido allí y sin duda ella debió haber sabido quién los había dejado entrar. Murió sabiendo que fue su propio hijo quien ocasionó su muerte.

De hecho, la forma como ellos describieron su muerte era demasiado para soportarlo. Era como si ellos estuvieran relatando algo que hubieran visto en una película de terror o en un videojuego violento. Si el carácter es aquello que uno es en la oscuridad, entonces ¿dónde estaban estos muchachos?

Si el carácter es lo que uno es en la oscuridad, entonces ¿qué era mi madre? Fue una luchadora que nunca se dio por vencida. Luchó fuerte contra sus atacantes durante varios minutos a pesar de ser superada en número de tres a uno, pero al final no pudo resistirlos. Para ellos, ella no era nada, sólo algo que se interponía entre ellos y lo que querían —un lugar donde vivir y un poco de dinero en el bolsillo.

Qué equivocados estaban...

No vieron que ella era una persona a quien se le amaba profundamente. Tampoco vieron la fuerza de carácter y la manera singular y amable con la que condujo su vida. Mi madre hizo la gran diferencia en este mundo. Ellos no sabían la persona maravillosa que ella era y las vidas que se vieron influenciadas por su bondad. En las semanas que siguieron a su muerte recibí cientos de cartas de personas desconocidas, amigos y vecinos. Muchos de estos eran personas a quienes mi madre había ayudado cuando trabajaba en el hospital como jefe del Departamento de Histología. Aunque no tenía por qué hacerlo, con frecuencia se involucraba con los pacientes, especialmente con los niños a quienes les asustaba la idea de extraer una muestra de su sangre. Ella misma hacía los procedimientos para asegurarse que todo se hiciera rápido para causar la menor molestia posible al niño. Ella tenía una forma muy especial de tratar a las personas; las hacía sentir relajadas, seguras, bienvenidas y cómodas.

Ellos no vieron a Darlene —mi madre y amiga. Ella no merecía morir.

Yo no quería que mi hermano fuera a parar en prisión, pero no tenía otra opción. Tenía que hacer lo correcto y eso significaba testificar contra él. Como lo expresó Oriah Mountain Dreamer en su ahora reconocido poema *La invitación:* "No me interesa si la historia que me estás contando es verdadera. Quiero saber si decepcionas a otros para serte fiel a ti mismo; si puedes soportar la acusación de traición sin traicionar a tu propia alma… no me interesa saber dónde vives o cuánto dinero tienes. Quiero saber si te puedes levantar después de una noche de llanto y desesperación, cansado y golpeado hasta los huesos y hacer aquello que tiene que hacerse…"

Sé que hay quienes piensan que yo traicioné a mi hermano, pero yo no traicioné a mi propia alma y no traicioné a mi madre, me levanté después del llanto y del desespero, cansada y magullada hasta los huesos e hice lo que tenía que hacerse —sin importar lo duro que aquello resultó.

A veces me pregunto ¿qué es aquello que diferencia a quienes continúan delante de aquellos que se rinden ante la menor dificultad? ¿Por qué es que algunas personas enfrentan dificultades agobiantes mientras que otros parecen flotar por la vida invulnerables? ¿Por qué le ocurren cosas malas a la gente buena?

Ciertamente no tengo la respuesta definitiva a esas preguntas, pero creo que parte de la ecuación la constituye el carácter, esa parte invisible de nuestro ser que determina si nos rendimos o seguimos adelante. El carácter es algo que no nos pueden quitar ni dar. Es algo que se desarrolla con el tiempo y es tan obvio como la nariz en un rostro. Es algo difícil de definir y de cuantificar.

Cuando miro atrás y pienso en la gente que ha influido en mí —de forma positiva o negativa— me doy cuenta que sobresalen por su carácter o por la falta de este. Hay aquellos que sobresalen como faros de luz, que han demostrado profundidad de carácter, de sabiduría y de amor, que no puedes menos que tener admiración por ellos. También hay los que no han demostrado esa bondad, los que han sido totalmente incapaces de asumir la responsabilidad de su vida y que consistentemente se excusan tratando de justificar lo injustificable.

Nadie dijo que la vida habría de ser fácil. No obstante, tener la fuerza que se necesita para hacer aquello que debe hacerse sin importar cuán difícil resulte, se convierte en parte esencial de la vida, y siempre se reduce al asunto del carácter y de encontrar un propósito aún más noble y superior por encima del dolor individual. Tenemos que seguir adelante. Tenemos que ponernos de pie sin importar cuántas veces seamos derribados.

No tiene sentido "intentar", o se logra o no se logra. Intentar no es más que un fracaso prenegociado. Olvídese de la frase "Intentaré hacer lo mejor de mi parte", simplemente "Haga su mejor parte". No desperdicie su tiempo en intentos a medias para después decir: "Bien, lo intenté". Más bien, haga lo que tenga que hacer —lo que quiera que sea.

Encuentre la manera de hacer los cambios con los que siempre ha soñado. Nunca se dé por vencido. Cuando se encuentre en medio de situaciones extremas y del dolor, siga avanzando aunque eso implique solamente hacer pasos pequeños. Despiértese, respire y siga adelante, un día a la vez.

Las cosas mejorarán, pero usted es quien tendrá que hacer que mejoren. Tendrá que ver muy dentro de su alma y en medio de la oscuridad quién es usted en realidad... se asombrará de ver cuánta fuerza puede hallar y de cuán recursivo puede llegar a ser. Es como lo expresó Helen Keller: "El carácter no es algo que se cultiva en el desahogo y la tranquilidad. El alma se fortalece sólo a través de las experiencias y de las pruebas, sólo así se aclara la perspectiva, se despierta la ambición y se alcanza el éxito".

¿Sabía usted…?

Una forma genial de saber si lo que va a hacer es acertado o no es mediante la prueba del periódico. Hágase la siguiente pregunta: si lo que usted va a hacer fuese a salir en la primera página en un periódico de tirada nacional y si fuera a ser anunciado en la radio alrededor del mundo, ¿se sentiría orgulloso o avergonzado?

Si la respuesta es que se sentiría avergonzado, ¡no lo haga! El carácter tiene que ver con hacer lo correcto aun cuando nadie esté mirando, y si no se siente seguro de ello, imagine que el mundo está mirando y tome la decisión correcta.

Cómo incorporar esta sabiduría en su vida

Elimine la palabra "intentar" de su vocabulario. Esto es algo que usted deberá incorporar en su propio entorno. Si es posible cómprese una corneta o un pito y dígale a todo el mundo que la palabra "intentar" ya no es permitida. Entonces, cada vez que alguien utilice esa palabra, haga sonar la corneta o el pito. La persona deberá reestructurar la frase sin la palabra "intentar".

Si hacer eso es demasiado radical para su gusto, simplemente hágalo sin la corneta. Infórmele a quienes lo rodeen que usted está eliminando esa palabra de su vocabulario y que ellos deben recordarle o indicarle cuando usted la use. Después de un tiempo, usted dejará de utilizarla y entonces hará lo que se necesita hacer o no. No hay zona gris. Recuerde las famosas palabras de Yoda en Guerra de las galaxias: "Hazlo o no. No hay intentos".

Capítulo 31

"Para mí el dinero no es ni un dios ni un diablo. Es una forma de energía que tiende a hacernos más de lo que somos, ya sea que eso se trate de ser codiciosos o amorosos".
—Dan Millman

Dan Millman es un atleta retirado campeón mundial, ganador en 1964 de los campeonatos mundiales de gimnasia en Londres en la modalidad de anillos y codirector del equipo de gimnasia de la NCAA UCLA en 1968. Enseñó gimnasia en la Universidad de Stanford y fue profesor de educación física en el Oberlin College. En sus años juveniles tambien enseñó artes marciales y practicó danza moderna. Desde entonces él se ha convertido en una figura clave en el campo del potencial humano y es autor de varios libros de gran prestigio y éxito. Su primer libro fue un trabajo autobiográfico y de ficción llamado llamado *Way of the Peaceful Warrior*.

Yo aprendí sobre la veracidad de las palabras de Dan Millman en la época más difícil de mi vida. Luego del asesinato de mi madre, sus propiedades y posesiones tuvieron que ser repartidas como ocurre con toda persona que muere. Como lo hacen la mayoría de los padres, ella había dejado la mayor parte de sus bienes a sus hijos. Obviamente la participación de mi hermano en su muerte le impidió hacer cualquier tipo de reclamaciones. Originalmente él fue quien urdió el plan porque pensaba que al final él y los muchachos involucrados se quedarían en la casa de mi madre y utilizarían el dinero de la póliza para hacer lo que quisieran. Los muchachos habían resuelto que si yo objetaba, yo sería la siguiente muerta. De hecho tenían la lista del "gran golpe" con el nombre de otras 20 personas.

En términos legales (y de la ética) eso nunca iba a suceder. Su parte de responsabilidad y la subsiguiente sentencia garantizaron que no recibiera un sólo centavo —sentencia legal con la cual ni él ni mi padre estuvieron de acuerdo. Yo fui categórica en que él no se beneficiara del terrible ardid que había planeado, pero al final de cuentas ni siquiera fue mi decisión. La ley es muy clara. Cuando a alguien se le condena por estar involucrado con la muerte de otra persona no se puede beneficiar en sentido económico de dicha muerte. Es un asunto lógico, quizás de sentido común, y sin embargo, esa no fue la forma como vieron los asuntos algunos miembros de la familia.

La manifestación de hostilidad de mi padre y mi hermano hacia mí no me representó gran sorpresa. Sin embargo, sí me sorprendió la reacción de algunos miembros de la familia. Adicional a estar en la cima del trauma emocional que experimenté como resultado de la muerte de mi madre se sumó una segunda causa de aflicción relacionada con tener que resolver los asuntos financieros de la familia. Todo ello me produjo un gran sentimiento de devastación. Y justo cuando pensé que había tocado el fondo, me di cuenta que todavía no lo había hecho. Enseguida aprendí que el dinero puede hacer manifiesto lo mejor o lo peor de las personas —lamentablemente puede hacer que amigos o familiares resulten enemistados rápidamente.

De muchas maneras, la situación financiera de mi madre inicialmente me suministró una seguridad. Me permitió comprar mi primera casa —lo que me permitió iniciar el proceso de reconstrucción, que era esencial para mí porque había perdido a mi familia y el sentido de fundamento y de "hogar". Sentía que no podía volver a establecerme en la casa donde había crecido y donde mi madre había sido asesinada. Aún durante la limpieza exhaustiva, los recuerdos y las imágenes que tenía en mi mente de sus últimos momentos eran insoportables.

Y a pesar que el dinero me permitía tener opciones en términos de poder elegir una nueva casa, darme algunos lujos y cuidar de mí misma en términos de salud mental (consejería, etc.), nunca me sentí cómoda respecto a la fuente del dinero. Para mí, el dinero que recibí cuando se saldaron sus cuentas era dinero sucio —lo veía como dinero con "sangre". Lo único que quería era volver a tener a mi mamá. Hubiera hecho y dado cualquier cosa por volverla a tener de nuevo a mi lado. La idea de que ese dinero, cualquier cantidad de dinero, pudiera compensar la pérdida de un ser amado, era totalmente extraña y absurda para mí.

Extrañamente, varios miembros de mi familia extendida estaban inconformes respecto a la división de los bienes —se sentían con derechos de recibir alguna porción de estos y se pusieron extremadamente furiosos al respecto. En vez de venir y considerar el tema directamente conmigo, hablaban a mis espaldas con todo aquel que les quisiera prestar oído. El fiscal encargado, Darwin Greaves, me llevó aparte un día para explicarme lo que estaba sucediendo y para darme consejo valioso. Él estaba al tanto de lo que se estaba diciendo y tomó a su cargo darme de forma paternal asesoría legal. Yo me sentía terrible con todo ello y me veía inclinada a darle a cada uno lo que pidiera. Su compasión, orientación y objetividad me permitieron resistir la enorme presión en relación con cumplir los deseos de mi madre respecto a la repartición de sus bienes. Siempre estaré eternamente agradecida por esa ayuda.

Reconozco que mis sentimientos respecto a lo relacionado con el asunto de la herencia contribuyeron a que todo ello se volviera una carga para mí. Me sentía culpable por tenerla, ya que todo ello sólo había sido posible por causa de la muerte de mi madre. Y sin embargo, aún sentía la responsabilidad de asegurar que sus deseos se llevaran a cabo: el sistema legal estipulaba que mi hermano no debería recibir ningún beneficio. Pero el dinero todavía estaba contaminado —tal como señala la cita de Millman indicando que, de hecho, las intenciones de la gente son lo que contamina al dinero, yo iría un poco más allá y diría que el dinero también puede ser contaminado por su fuente.

Me resulta interesante pensar que comencé mi primer negocio con los fondos que recibí y sinceramente creo que en algún nivel inconsciente el negocio estaba destinado a fracasar porque yo misma no podía reconciliar la idea de que algo bueno pudiera resultar a partir de algo malo. En realidad no era dinero mal habido, y yo ciertamente no quería beneficiarme de este. Yo no quería que mi vida fuera cómoda por causa de la muerte de mi madre. Al final perdí hasta el último centavo que recibí y viendo las cosas desde la perspectiva de ahora creo que eso fue una bendición. Todo lo que he alcanzado desde entonces lo he creado por mí misma y con el deseo genuino de ayudar a otros.

Yo nunca le dije a nadie de mi familia que había perdido la herencia cuando mi primer negocio fracasó. Sin embargo, por extraño que parezca, continuaba recibiendo solicitudes de dinero por varias razones. Hubo ocasiones en las que ellos cuestionaban si yo estaba en posición de prestarles a ellos. Pero era interesante ver sus reacciones. Puedo decir que ellos se sentían con todo el derecho de recibir el dinero y que se mostraban extremadamente frustrados conmigo. A decir verdad, si yo hubiera tenido el dinero en el momento en el que lo solicitaron, probablemente se los hubiera dado a fin de apaciguarlos. Sin embargo, no lo hice y con ello aprendí algunas lecciones valiosas respecto a las personas con las que realmente se puede contar.

¿Sabía usted…?

En Japón existe un término especial para designar al "dinero por sangre" —*mimaikin*. En el año 2.000 fue asesinada una joven británica llamada Lucie Blackman en Tokio. El principal sospechoso en el caso era un hombre acaudalado llamado Joji Obara. En el año 2.007 Obara fue encarcelado por múltiples cargos de violación y un cargo de homicidio. Sin embargo, el fue absuelto del asesinato de Lucie. Tim Blackman, el padre de Lucie, aceptó £450.000 de parte de un amigo de Obara en lo que se conoce como *mimaikin* —o dinero de condolencias. Aparentemente las implicaciones del término *mimaikin* no tienen que ver con la culpa, por lo cual también se le conoce a ese proceso como tsugunaikin o dinero de expiación. Pero, ¿realmente importa la manera como se le llame? ¿Por qué habría de dar un hombre inocente el equivalente a casi un millón de dólares al padre de una víctima si él realmente no era culpable? El equipo legal de Obara dijo que el hecho de que el señor Blackman hubiera aceptado el dinero jugó un papel importante en evitar que recibiera la pena de muerte. Estoy segura que el señor Blackman tuvo sus razones para aceptar el dinero y en el presente existe una fiducia a nombre de Lucie Blackman, la cual está destinada a educar a la comunidad en temas de seguridad personal, de modo que al final y a pesar de lo ocurrido se logró algún bien.

Manejar una gran suma de dinero de forma inesperada (sea por razones positivas o negativas —sea mediante una ganancia imprevista, una inversión o una herencia) es una experiencia que cambia la vida. El dinero puede ser una fuente de angustia, resentimiento y hostilidad. Agregue a eso el dolor por la muerte prematura de un ser querido y la receta del desastre está asegurada.

Considere el caso de OJ Simpson. Cuando el sistema legal declaró a OJ Simpson no culpable del delito de homicidio, la familia de Nicole Simpson y Ron Goldman se vieron forzadas a emprender acción civil a fin de asegurarse que se rendía algún tipo de justicia. Ellos ganaron el caso y OJ Simpson fue obligado a pagar USD $33.5 millones a las familias.

Simpson decidió escribir un libro titulado *Si lo hubiera hecho* —un relato aparentemente hipotético de cómo hubiera asesinado a Nicole y a Ron si él lo hubiera hecho... El hecho de que cualquier editorial participara en su publicación era desagradable en extremo.

Como resultado, la armonía entre las familias Brown y Goldman se vio dividida respecto a qué hacer con el libro. Denise Brown, la hermana de Nicole, boicoteó la publicación del libro, una instancia que inicialmente fue compartida por la familia Goldman. Sin embargo, los Goldman cambiaron de parecer —ellos sabían que Simpson nunca pagaría la condena civil y que él tenía la posibilidad de pagar abogados de prestigio que se asegurarían de que la deuda nunca fuera pagada —fuera a nivel financiero o espiritual. Sin embargo, ellos vieron la manera de impedir que Simpson obtuviera una fortuna derivada de las regalías del libro. Sin mencionar la posibilidad de frustrar a Simpson en sus intentos de recibir fama y dinero por la publicación del libro.

La familia Goldman ahora posee los derechos de publicación del libro de Simpson. Yo estoy segura de que debió ser una decisión difícil, pero dadas las circunstancias en las que todo les falló, probablemente se sintieron que tenían poca opción. Fred Goldman, en una entrevista con Oprah Winfrey, quien se rehusó a leer el libro y a promocionarlo, expresó su posición y recalcó lo siguiente: "Si una mujer lee el libro y reconoce que está en una posición abusiva y potencialmente letal y deja esa relación, entonces habrá valido la pena".

La familia Goldman estuvo en condiciones de reconciliar la fuente de ese dinero y de canalizarlo hacia algo bueno. La familia de Nicole no estuvo en condiciones de hacer eso, y ninguna de las dos posiciones es buena o mala en sí misma.

El punto en cuestión es que el dinero inherentemente no es ni bueno ni malo —hace que la gente manifieste más de lo que ya es. Tampoco puede ser contaminado por su fuente, así como tampoco puede ser santificado o bendecido por esa fuente. Es un asunto personal. Yo no pude llegar a un acuerdo con el hecho de que ese dinero hubiera tenido un origen indeseable, así que me deshice de él —al menos de forma inconsciente. En el caso de la familia Goldman, ellos pudieron encontrar algo bueno en ello e hicieron lo que consideraron que necesitaban, y yo los admiro inmensamente por ello.

El asunto subyace en la forma como se ve al dinero. Y tal como el dinero no es en sí ni bueno ni malo, tampoco es una razón válida para el fracaso. La falta de dinero no es lo que retiene a las personas. Como muy bien lo señala Norman Vincent Peale: "Los bolsillos vacíos no retienen a las personas. Sólo las mentes vacías y los corazones vacíos son lo que hacen eso". El dinero simplemente es un medio para alcanzar un fin. Los pensamientos que usted tenga con respecto a este —lo fácil o difícil que sea de conseguir, si es sucio o no, lo que se tiene que hacer para conseguirlo, lo que se quiera hacer con este —todas estas cosas tienen el poder de influenciar los resultados finales.

El dinero es necesario en este mundo, y a pesar del hecho de que la brecha entre ricos y pobres parece incrementarse cada día, no es la vía rápida hacia la felicidad ni el logro. He conocido a muchos millonarios que llevan vidas sin sentido y también a muchas personas que tienen muy poco pero que irradian contentamiento y amor. Por una parte, si uno utiliza el dinero o la falta de este como una justificación para la inactividad o para decir que por eso no logra el éxito, entonces está destinado a permanecer en esa situación. Por otra parte, si uno hace del dinero su dios y va tras este implacablemente a expensa de todo y de todos, entonces con el tiempo deberá pagar las consecuencias de ello. El dinero no tiene significado en sí mismo. Todo lo que represente es porque se lo hemos atribuido. Trátese de una fuerza para el bien y de una motivación para alcanzar logros superiores o el producto de orígenes oscuros, eso es algo que nosotros mismos lo determinamos.

Cómo incorporar esta sabiduría en su vida

Con frecuencia el dinero es relacionado con ideas y suposiciones equivocadas las cuales hacen que tengamos un concepto distorsionado del mismo. Puede resultar muy iluminador comprender cuáles son sus creencias y valores inconscientes respecto al dinero. Busque una hoja de papel y formúlese y responda las siguientes seis preguntas a continuación una y otra vez hasta que esté seguro de las respuestas. Cuando ya no tenga nada más que decir respecto al dinero entonces habrá conseguido respuestas reveladoras y significativas.

1. ¿Cómo son las personas que tienen dinero?
2. ¿El dinero es...?
3. El dinero es bueno porque...
4. El dinero es malo porque...
5. ¿Cómo es la gente rica?
6. El dinero es importante para mí, ¿con qué propósito?

Sea que tengamos dinero o no, podemos hacer cosas positivas o negativas con este, depende únicamente de nuestras percepciones respecto al dinero mismo. Si consideramos al dinero como un medio para alcanzar un fin, como un medio de significar un cambio o de hacer una diferencia significativa en el mundo, entonces vamos a tener suficiente y a alcanzar nuestros sueños (lo mismo también es cierto si creemos que los ricos son unos corruptos y que hay virtudes en la pobreza).

Capítulo 32

"La máxima es: el perfeccionismo se deletrea del siguiente modo:
P-A-R-Á-L-I-S-I-S".
—Winston Churchill

Winston Churchill es uno de los políticos más sobresalientes del siglo XX. Fue Primer Ministro de Gran Bretaña durante la Segunda Guerra Mundial y de nuevo desde 1951 a 1955. Churchill fue un estadista, orador y estratega destacado, y su liderazgo incuestionable fue decisivo para ganar la guerra. Churchill también fue oficial del ejército británico. Fue un autor prolífico y ganó el premio Nobel de Literatura en 1953 por sus escritos históricos. Churchill fue conocido por su ingenio agudo y es uno de los hombres más citados de la historia. Otra de mis citas favoritas es esta: *¡Una mentira recorre medio mundo antes de que la verdad tenga la oportunidad de ponerse los pantalones!"*

El proceso de escribir este libro ha sido un viaje emocional que en momentos se ha tornado difícil. Repasar recuerdos y pensamientos enterrados hace tanto tiempo ha significado pasar muchas horas inundada de lágrimas cuando he tenido que recordar sucesos y personas del pasado.

El proceso ha sido una revelación y me ha permitido ver cuán aferrada he estado en ocasiones a la perfección. En algún punto hacia el final del proyecto me sentí totalmente abrumada. Todo lo que podía ver era cuán lleno de errores estaba mi manuscrito. Habían comas en el lugar equivocado, algunos errores pequeños de ortografía y secciones que faltaban por concluir. Todo pareció una tarea interminable que me ahogaba y me llenaba de ansiedad.

Afortunadamente hubo alguien que me ayudó a tener una perspectiva más objetiva y me hizo darme cuenta que mis "errores" no eran necesariamente importantes en ese punto del proceso. Estaba tan aferrada a la perfección que literalmente estaba paralizada.

Y a medida que suspiraba profundo y continuaba pude ver cuán tóxica es esta idea de la perfección en mi vida. En gran medida estoy profundamente agradecida por mi resolución y persistencia por hacer las cosas cada vez mejor, sin embargo, existe un punto en adelante en el que esa cualidad se puede volver totalmente inútil.

El perfeccionismo me ha ocasionado a través de los años ansiedad extrema y generado ataques de pánico. Mis padres, especialmente mi padre, esperaban mucho de mí. Como lo mencioné en el capítulo 3, a la edad de seis años fui matriculada para recibir clases de piano, de ballet y de patinaje artístico. Mis días comenzaban a las cinco de la mañana para poder recibir las lecciones de patinaje sobre hielo a las seis en punto, y mis tardes y fines de semana eran una ronda constante de patinaje, clases de ballet y lecciones de piano y todo eso sin mencionar las tareas escolares. En lo relacionado con el patinaje sobre hielo siento que tenía talento y habilidad natural pero estoy segura que mi búsqueda implacable de la perfección resultó en detrimento de mi desempeño. Recuerdo vívidamente las humillaciones que recibía frente a mi entrenador y compañeros cuando mi padre me gritaba por no estar a la altura de sus exigencias. Yo no sé si eso se haya debido a que era la hija mayor o si él quería vivir sus sueños a través de lo que yo lograra, pero todo eso se convirtió en presión más que en estímulo.

Las cosas empeoraron tanto que comencé a sentir temor con la sola idea de tener que ir a la pista. Me aterrorizaba la idea de tener un mal desempeño, y de otro lado, nunca recibí estímulos o fui recompensada cuando lograba estar a la altura. Nunca hubo zanahorias, sólo garrote, y aquello tuvo un profundo impacto en mí. Cuando el mejor esfuerzo que uno hace nunca es suficiente, puede ser descorazonador, especialmente para un niño.

Contrario a mi situación, a mi hermano nunca se le exigió emprender algo cuando era niño. Nunca entendí esa disparidad aunque pienso que tal vez tenga que ver con el temor de que era demasiado pequeño. Cuando era bebé recibió las vacunas habituales pero reaccionó alérgicamente a estas, se puso muy enfermo y tuvo que ser hospitalizado. En aquella ocasión yo sólo tenía siete años de edad pero recuerdo vívidamente cuando fuimos con mis padres al hospital y los médicos y las enfermeras revolaban junto a ellos, preocupados porque él no se pudiera recuperar. No había mucho que nosotros pudiéramos hacer sino esperar y recuerdo que me aterrorizaba la idea de que él muriera y no pudiera regresar a casa de nuevo. Con frecuencia me pregunto si el miedo de casi perderlo hizo que mis padres no quisieran ejercer presión sobre él.

Cuando alguien presenta síntomas de depresión, adicciones, estrés o ansiedad, usualmente ello tiene sus raíces en las etapas de vida tempranas. Las reacciones de sentimientos creados cuando uno experimenta situaciones cargadas de emociones y acumuladas a lo largo de la vida forman una cadena de eventos —algo así como un collar de perlas. Esa cadena se crea, esencialmente, a partir del suceso sensibilizador inicial y se extiende mediante los eventos subsecuentes que refuerzan esos pensamientos particulares, emociones y sentimientos. La habilidad de rastrear en el pasado esa conexión de sentimientos fuertes hasta su mismo origen, constituye la base para eliminar el desencadenamiento de esos sentimientos fuertes y sus síntomas para siempre. Las terapias de regresión y de línea del tiempo son herramientas muy eficaces para identificar los eventos de sensibilización inicial y romper la conexión de los sentimientos fuertes. Cuando experimenté esto por primera vez, pude determinar los eventos iniciales y todos los eventos de refuerzo subsiguientes a lo largo de mi vida.

Por ejemplo, logré identificar cientos de veces que experimenté pánico y ansiedad extrema. Cuando era niña, entre los ocho y los nueve años de edad, con frecuencia era dejada sola en casa en las noches mientras mis padres iban a hacer diligencias. Se me dejaba sola y se me asignaban tareas, como aspirar, ordenar, etc., y mis padres se llevaban al bebé con ellos. A medida que la noche avanzaba y se oscurecía, el pánico se apoderaba de mí. Yo encendía todas las luces de la casa a fin de sentirme segura y echaba cerrojo a la puerta del sótano. Yo no era capaz de ir sola hasta allá cuando estaba sola y todo estaba oscuro. Intentaba en lo posible mantenerme ocupada a fin de conservar mi mente concentrada en algo y disipar la sensación de soledad y de miedo.

Había noches en las que llamaba a mis abuelos por teléfono y ellos permanecían hablando conmigo durante horas, hasta cuando veía las luces del auto de mis padres en el camino de entrada. Yo no entendía por qué se me dejaba sola en casa. Tan pronto como veía las luces de su auto, colgaba el teléfono, subía las escaleras rápidamente y me introducía en mi cama fingiendo estar dormida. No se me permitía decirle a nadie, incluyendo a mis abuelos, que me dejaban sola en la casa. Si mi padre descubría que yo había estado en el teléfono hablando con mis abuelos, se me castigaba severamente por contarles y por "ser una niñita". Irónicamente, creo que sentía más miedo de él que de quedarme sola en la oscuridad. Todas esas sensaciones simplemente afirmaron mi ansiedad, de modo que cuando pude sacar a la luz esas emociones mediante las terapias de línea de tiempo y terapia de campo, me sentí increíblemente liberada.

Las habilidades y características de personalidad que desarrollé cuando era presionada como niña han resultado útiles en mi vida adulta de varias formas. He descubierto habilidades y talentos que de otro modo probablemente no los hubiera conocido. Sin embargo, todas las monedas tienen dos caras —en este caso, temor y estímulo— y utilizar el temor como la única fuente de motivación nunca resulta eficaz. Puede resultar en un motivador poderoso, pero sólo cuando es equilibrado con la posibilidad de recibir estímulos y recompensas.

Como lo consideramos en el capítulo 5, el ir hacia la motivación, en vez de ir en dirección opuesta a ella, resulta en algo mucho más poderoso y efectivo a largo plazo. ¿Quién sabe qué logros habría obtenido si hubiera seguido la carrera de patinaje artístico, y si hubiera recibido el estímulo apropiado para disfrutar del patinaje, en vez de haber quedado atrapada en el temor de las consecuencias de llegar a fallar? Es como lo expresó Napoleón Bonaparte: "Existen dos tipos de motivación para avanzar —el interés y el temor". Utilizar uno a expensas del otro nunca resulta tan eficaz como cuando se utilizan juntos.

¿Sabía usted...?

Como sucede con varios rasgos de la personalidad, el perfeccionismo tiende a caracterizar familias y posiblemente tenga un componente genético. Los padres que tienen un estilo autoritario combinado con amor condicional pueden contribuir al desarrollo del perfeccionismo en sus hijos. Ello hace que el niño aprenda desde muy temprano que es valorado sólo por sus logros. Es posible que eso sea cierto o que no lo sea, pero el efecto es siempre el mismo desde el punto de vista de la interpretación del hijo. Como resultado, el hijo puede aprender a valorarse a sí mismo sólo sobre la base de la aprobación de otras personas, lo que a su vez significa que su autoestima dependa de factores externos dejando al individuo vulnerable y sensible a las opiniones y críticas de otros. El perfeccionismo entonces nace como una defensa.

Al intentar entender los pro y los contra del comportamiento perfeccionista Robert B. Slaney, psicólogo consejero del College of Education, en el estado de Penn, creó una escala llamada "Casi perfecta", la cual contiene cuatro variables: Normas y Orden, Relaciones, Ansiedad y Procrastinación (dilación).

Esta escala puede ser útil como una manera de examinar cómo nos va con relación al perfeccionismo. Si este permite que uno cree métodos de organización y normas que le ayuden a tener un mejor desempeño, es algo positivo. No obstante, si hace que tengamos expectativas poco realistas en relación con las demás personas y por ende, evitar relaciones significativas, no es útil. Lo mismo es cierto si nuestras ansias de perfección nos causan ansiedad anormal y nos impide emprender la acción.

Ser padre debe ser la tarea más difícil del mundo... encontrar el equilibrio entre animar a los hijos a hallar su espacio en el mundo y ser los mejores, puede ser algo titánico. Sinceramente creo que las intenciones de mi padre eran buenas —él sólo quería que yo hiciera bien las cosas pero su forma de demostrármelo dejó mucho que desear. Afortunadamente, ya no sufro de pánico ni de ansiedad. Gracias a las lecciones que he aprendido a lo largo del camino, muchas de las cuales he compartido con ustedes en este libro, he podido encontrar la forma de sanar y de impedir que todo lo anterior controle mi vida y me paralice.

En algunas ocasiones tengo que recordarme a mí misma que la perfección es imposible. Simplemente todos podemos hacer nuestra mejor parte en cualquier momento, dependiendo de los recursos y los conocimientos que tengamos a nuestra disposición. Estoy segura que en años futuros leeré este libro y desearé haber dicho las cosas de forma diferente o descubriré que pude haber mejorado muchos capítulos, pero así es la vida. Llega un momento en la vida y en cada proyecto en el que uno necesita estar tranquilo de haber realizado lo mejor posible en sus circunstancias. De otro modo, tendría que permanecer en el lado de los que necesitan excusarse del porqué no hacen que las cosas ocurran porque "no es suficientemente bueno". Invertir nuestro mejor esfuerzo en algo y llevarlo a cabo, aún cuando no sea perfecto, es muchísimo mejor que hablar demasiado, no emprender la acción o dejarse invadir por la parálisis de la perfección. El enfoque del mejoramiento continuo siempre es una característica admirable cuando está acompañado de la acción; de cualquier otra manera resulta desgastante.

¿Y qué es la perfección? ¿Quién la define? Yo sé, por ejemplo, que van a haber personas que luego de leer este libro, lo adorarán, hará eco en ellos, y mi deseo sincero es que les permita a todos sus lectores en el mundo entero tener una perspectiva nueva. También debo reconocer que habrá personas que lo llegarán a odiar. Yo no puedo decidir sobre eso. Debo dejar que ocurra y aceptarlo. Es como lo expresó el escritor francés Alfred De Musset: "La perfección no existe. Debemos entender que este es el triunfo de la inteligencia humana, y que esperar poseerla genera peligrosamente el peor tipo de maldad".

Cómo incorporar esta sabiduría en su vida

Si uno considera el principio de Pareto, que declara que el 20% de nuestros esfuerzos es el responsable del 80% de los resultados, eso significaría que el 80% de los esfuerzos restantes producen un minúsculo 20% de resultados.

Pruebe con dedicar el 20% de sus esfuerzos para lograr el 80% de perfección. Esa debería ser su meta. No inicie con un propósito que exija perfección. Luego, cuando su proyecto o tarea lleve un 80% de realizada, déjela enfriar por unos pocos días y analícela e identifique las áreas en las que su esfuerzo, cercano a la perfección, debe ser complementado. Practique el hecho de asegurarse que da su mejor esfuerzo según cada situación. Entonces descubrirá que su 80% es aún mejor que el100% de la mayoría de personas.

[illegible]

"[illegible] concédeme la serenidad para aceptar las cosas que no puedo cambiar, el valor para cambiar las cosas que puedo cambiar, y la sabiduría para conocer la diferencia."

—San Francisco de Asís

Cuando [illegible] años de edad, [illegible] perdió su pierna a causa del cáncer, y sus padres pudieron haber decidido que la vida [illegible]

[illegible]

Conclusión

"Concédeme la serenidad para aceptar las cosas que no puedo cambiar, el valor para cambiar las cosas que pueda cambiar; y la sabiduría para conocer la diferencia".

—San Francisco de Asís

San Francisco de Asís fue un fraile católico romano que vivió entre 1118 y 1226. Él fue el fundador de una orden conocida como los franciscanos y es el santo patrón de los animales, los pájaros y el medio ambiente.

Conocida como la oración de la serenidad, esta declaración hecha por uno de los gigantes de la historia, probablemente está pegada en millones de neveras por todo el mundo. Del mismo modo, es muy común encontrar la frase en almohadillas para el ratón del computador, los protectores de pantalla y los calendarios. Por consiguiente, dada la recurrencia, su relevancia e importancia suelen ser pasadas por alto.

Sin embargo, ¿cuál es la verdad de la vida? ¿En dónde concentramos nuestro enfoque y energías? En las cosas que no podemos cambiar. Con bastante frecuencia no desplegamos compromiso o determinación para cambiar lo que podemos cambiar, y solemos estar confundidos entre las dos opciones.

Cuando, a los nueve años de edad, Michael Milton perdió su pierna a causa del cáncer, él y sus padres pudieron haber decidido que la vida había terminado. Hubiera sido perfectamente entendible que él se compadeciera de sí mismo y se retrajera de participar en sus actividades favoritas convirtiéndose en víctima de su infortunio. Pero no lo hizo.

En contraste, llegó a ser medallista de oro en los juegos paralímpicos. Una proeza en sí misma, no obstante y aún mayor es que él también escaló la montaña individual más alta del mundo junto con su hermana. Cualquier persona que haya alcanzado la cima del Kilimanjaro podrá testificar de lo exigente que es esta hazaña. El Kilimanjaro está a 19.340 pies de altura y se ha cobrado más vidas que cualquier otra montaña. Sólo el 20% de los que inician el ascenso logran coronar su meta. Las temperaturas por debajo del punto de congelación y el hecho impredecible de la enfermedad de las alturas, hacen del Kilimanjaro la meca de los aventureros del mundo entero. Michael Milton logró su proeza con una sola pierna.

Michael aceptó las cosas que no podía cambiar —la amputación de la pierna a causa de un cáncer. Demostró valor para cambiar las cosas que podía cambiar, y aprendió a adaptarse a su nueva situación. Tuvo la sabiduría de reconocer la diferencia. No desperdició su tiempo sumiéndose en la autocompasión. Estoy segura que hubo ocasiones en las que sintió pena por su situación. También estoy segura que debió haber circunstancias en las que se sentía airado por lo sucedido pero no se dejó regir por esas emociones. Al contrario, concentró todo su esfuerzo en lo que podía cambiar y logró cosas asombrosas a pesar de su discapacidad y no por causa de esta.

En mi caso, yo no puedo cambiar el hecho de que mi madre muriera. Yo no puedo hacer que ella viva y tampoco puedo cambiar el hecho de que mi hermano sea responsable. No obstante, llegar a esas conclusiones no fue un asunto fácil. Al principio yo no podía aceptar las cosas que no podía cambiar. En contraste, pasé varios años buscando una "señal", solicitando consejo, pidiendo aprobación, demandando justificación y respuestas sobre lo sucedido, buscando garantías y anhelando pertenecer a algo o a alguien. Mi rechazo hacia aceptar aquello que no podía cambiar, y mi persistente insistencia hacia ignorar aquello que sí podía cambiar, condujo a la enfermedad, al estrés y al debilitamiento físico. Algo que he aprendido en la vida es que el tamaño de la lección que uno aprende es directamente proporcional con el tamaño del garrote con el que nos golpea el universo a fin de obtener su atención total.

Dedíqué mucho tiempo y energías para luchar batallas que no podía ganar, me resistía a las circunstancias que no podía cambiar, intentaba influenciar las decisiones que ya se habían tomado intentando impedir lo inevitable. Me veía a mí misma como la víctima y me identificaba con ese sentimiento de impotencia hasta la parte más profunda de mi ser. Odiaba lo que había sucedido pero de algún modo me daba miedo y era reticente a dejarlo atrás y avanzar en mi vida. Ni siquiera los grupos de apoyo para las víctimas ni toda la psicoterapia del mundo pudieron ayudarme —más bien, sólo servían para ahondar los sentimientos negativos y el sentido de desamparo. Empecé a darme cuenta que necesitaba hacer cambios significativos en mi propio interior. Entre las muchas lecciones que me ha enseñado la vida es que aunque yo no sea la causa directa de cada evento que sucede, o si de alguna manera he atraído esos eventos a mi vida, una vez que estos han ocurrido no hay nada que pueda hacerse para cambiar el pasado. La facultad de transformación es "ahora" mismo, en el presente, y está dentro de mi propia mente. Es posible que yo no pueda cambiar el suceso, pero sí tengo el poder de cambiar su significado. Puedo elegir atribuirle un significado y adoptar una actitud de soporte que me permita construir un futuro imponente. También puedo elegir que permaneceré prisionera del pasado y adoptar una actitud de víctima carente de esperanza y posibilidades.

La única cosa sobre la cual tenemos control absoluto es sobre nuestra propia mente —es decir, la capacidad de escoger nuestro propio camino. Aun frente a las peores atrocidades, la esperanza y el amor son posibles, si plantamos el tipo de semillas correctas en la mente.

Al apoyarme en los hombros de gigantes pude reestructurar mi mente dándole nuevos significados a los varios sucesos determinantes de mi vida. En vez de ver la muerte de mi madre como el fin del mundo, empecé a verla como la indicación de un futuro brillante. Me animó mucho la cita de Laurens Van du Post: "La profundidad de la oscuridad hacia la cual desciendes, es la medida exacta de la altura a la que puedes aspirar a alcanzar".

Ahora siento que tengo una ventaja significativa sobre muchos otros porque ya he pasado por la experiencia más difícil de mi vida y he logrado sobrevivir. De modo que sé, con absoluta convicción, que seré lo suficientemente fuerte para soportar cualquier circunstancia que me presente la vida.

Hice mías las palabras de San Francisco de Asís. He aceptado las cosas que no puedo cambiar; he demostrado el valor para cambiar las cosas que puedo cambiar, y ahora puedo entender plenamente la diferencia. Y creo que mi madre estaría orgullosa por todo ello.

Sobre la autora de este libro

Rhondalynn tiene una historia creativa e inspiradora que demuestra que usted puede SER, HACER y TENER todo lo que se proponga. Con inicios humildes y a pesar de los monumentales obstáculos que ha enfrentado, Rhondalynn se ha convertido en líder y empresaria exitosa. Es una de las conferencistas más dinámicas e inspiradoras en el arte de la comunicación, la influencia y la ciencia de la autoimagen.

Con una experiencia de 16 años en las ventas, el mercadeo y las finanzas, Rhondalynn cuenta con varios postgrados profesionales en Derecho y Contaduría Pública. También tiene títulos como Certified Master Practitioner of NLP (Profesional máster en Programación Neurolingüística), terapeuta en el ámbito del pensamiento, hipnoterapeuta clínica y psicoterapeuta. Su hoja de vida da cuenta de sus numerosas posiciones gerenciales con compañías como Macleod Dixon, Price Waterhouse Coopers, Max Factor, Covergir, Village Cinemas, FlyBuys y Coles Group Ltd.

Las metodologías utilizadas por Rhondalynn han demostrado ser estimulantes y memorables. Ella demuestra el gran vínculo que existe entre la mente y el cuerpo en lo relacionado con reacondicionar el pensamiento negativo, el establecimiento de metas y la visualización creativa. También tiene una habilidad natural para motivar, guiar y empoderar a otros de modo que puedan desbloquearse y lograr su pleno potencial. Su trabajo combina el intelecto, la intuición, la innovación, la perspicacia y la integridad, revelando las posibilidades ilimitadas que están disponibles a todos cuando nos conectamos con el potencial infinito de la mente subconsciente. Rhondalynn ha sido noticia en publicaciones financieras a nivel nacional y en programas de radio por toda Norteamérica y Australia.

Todos los años, Rhondalynn presenta conferencias ante miles de empresarios, profesionales de las ventas, gerentes corporativos, propietarios de franquicias, clubes deportivos, empleados corporativos y miembros de la industria del éxito, el liderazgo, la aceleración de los negocios y desarrolladores mentales de alto desempeño.

Como empresaria, Rhondalynn fundó Imagineering Unlimited, con el fin de satisfacer la creciente demanda de entrenamiento, consultoría y soluciones de entrenamiento personalizadas. Su trabajo se basa en tecnologías de vanguardia, probadas científicamente. Su misión se realiza a través de eventos transformacionales, seminarios, y currículos de entrenamiento que avivan la búsqueda del autocontrol, a la vez que ofrecen técnicas prácticas que han sido demostradas para superar los desafíos, desarrollar el potencial pleno y alcanzar los sueños más sublimes.